我是如此迷恋它，
以至于别无选择地走进它的煎熬，毫无声息地承受它的磨难；

我是如此憎恨它，
以至于心惊胆战地接受它的祝福，患得患失地远离它的天堂。

裸奔的钱

沈良◎著

ZHEJIANG UNIVERSITY PRESS
浙江大学出版社

目 录

第一章 登 陆

有朋自远方来

——孔子《论语》

绝大部分期货品种的下跌趋势已经确立，韩子飞和东方俊都在做空，但遇到国庆长假，两人有了不同的想法……

"反正已经赚了4 000多万，9天后开盘即使大涨也吞噬不了太多利润，保持仓位全力做空吧，这或许是十年难遇的机会！"东方俊心想。

"首先市场目前毫无疑问处在下跌中，其次节后继续下跌的概率很大，按理说应该保有空单过节。"韩子飞还是举棋不定，"不过……"

"节后大涨也不是不可能的，即使只有千分之一的可能，那也得考虑啊！"

"要么平掉一部分仓位，锁住一部分仓位，只留最有把握的品种？"

9天后，国内股市市场全线暴跌，期货市场更是哀鸿遍野，领头品种——沪铜一连走出 5 个跌停板……

一个月后，东方俊暴赚 9 000 万，韩子飞也算有了 30％ 的利润。

一年前。

2007 年 11 月 8 日 广州白云机场

满怀壮志的韩子飞启程前往中国金融之都——上海。与此同时，短短三个星期左右，上证综指从 6 124.04 点跌至 5 462.01 点，随后强劲反弹至 6 000 点一线之后又大幅下跌至 5 300 多点，牛市出现暴跌，M 头初现，大盘将何去何从？

"请旅客韩子飞听到广播后尽快到 9 号登机口办理登机手续，您乘坐的由本站前往上海虹桥的班机 FM9302 马上就要起飞了。"

是的，他叫韩子飞。

不少人第一次听到这个名字时，会联想到战国时代的韩非子，有时候各种眼神和表情都会投射过来，有惊讶、有期待、有忍俊不禁、有浮想联翩，当然也有鄙视和不以为意。

这会儿他正在广州白云机场候机厅的书店，被一本叫《货币战争》的书吸引住了。宋鸿兵写的这本书确实精彩，韩子飞在金融行业混迹多年还没有听说过拥有印刷美元权力的美国央行美联储是一家私人银行，更不知道两次世界大战的起因还可以有如此阴谋论的解释，更感慨于美国总统的死亡率竟高于美军诺曼底登陆的第一线部队的平均伤亡率……但现在他必须马上去 9 号登机口，不然机场的播音员又要再呼唤他一次了。

韩子飞赶紧买下这本《货币战争》，拖上行李箱快步走向登机口。

"奇怪，一般都要晚点的飞机，今天倒是挺准时的。"

韩子飞找到座位后尽快放好行李，坐下之后，继续看令他着迷的《货币战争》。韩子飞觉得这本书比他以前看过的任何一本金融理论类或是交易技术类书籍都至少精彩 10 倍。

两个小时后，韩子飞踏上了上海的土地。虽然他来过上海上百次，但今天落地后觉得特别愉悦和兴奋，甚至有想要欢呼的感觉。因为这一次落地上海滩，意味着他的金融投资公司马上就要开始运作了。从中山大学毕业 7 年后，三十而立的韩子飞终于告别了打工生涯，要开创属于自己的事业了，而这事业的起点，就是当年许文强和丁力曾经闯荡过的大上海。

"城市，让生活更美好。"

一出机场，一块硕大的广告牌出现在眼前，每一个落地上海的人，首先要感受的就是上海世博的浓烈氛围。虽然现在距世博会开幕还有两年半的时间，但有关它的宣传已经全面铺开。上海，这座魅力持久的城市，正以她独特的自信和繁荣，张开双臂欢迎全球各地朋友的到来。

中国的时代已经来临，上海的时代正在开启。韩子飞的梦想也即将在这座城市华丽上演。

"陈老板啊，我是韩子飞，我到上海了。"坐上 925 路公交车，韩子飞拿出手机打了两个电话，第一个电话打给母亲，告诉她已到上海，周末回无锡老家，第二个电话则打给昆山的陈老板。

"哦，小韩啊，你明天就来昆山吧，我们把投资公司的事情好好落实一下，你推荐给我的股票这段时间涨得不错，哈哈！"

"对于最近的股票不要太乐观，最好先出来一下。"

"我看不要紧，上个星期六参加一个投资报告会，那个什么首席专家还说要涨到 10 000 点呢！等你过来再帮我看看几只股票能不能进。"

"现在还是谨慎点吧。我明天什么时候到你那边比较方便？"

"明天你过来吃晚饭吧，这次在昆山好好待几天，我明天叫司机到火车站去接你。"

"我待个一两天吧，得早点回上海，租一个办公室，还要招一两个人。我明天买好火车票给你电话，估计下午 5 点多到昆山。"

"好、好，明天见，小韩。"

陈老板电话挂得有点急，韩子飞似乎听到他另外的电话响了，看来最近陈老板生意不错，只是大盘在这个点位有点 M 头的感觉……

或许是下班高峰期还没到，今天 925 路公交车到定西路站的时候才 5 点一刻。韩子飞下车后拿出地图确定自己的方位，然后拖着行李箱拐向新华路，在转弯口他就看到一家奔驰专卖店，虽然店不大，只停放了 5 辆车，但是店面的装修和灯光效果处处彰显着低调的奢华。在上海的内环内开展厅的汽车经销商屈指可数，这一展厅向路人展示了奔驰的高贵和新华路一带的富人集聚效应。

新华路 680 弄，这是一幢 20 世纪 80 年代末的老公房，总共也就两三百户人家，韩子飞半个月前来上海的时候租下了这里 3 楼的一套40平方米左右的一室户的房子，房租每月1 500块，虽然比广州同类的房子要贵不少，但是在上海这个价格算是比较合理的，好像这种二手房的房价也要每平方米两万以上了。再说，这里属于内环，靠近延安路高架，步行几分钟就能到轨道3号线延安西路站。当然最重要的，还是因为韩子飞喜欢新华路两边的法国梧桐，喜欢散落于新华路上的几幢民国时期的老洋房，虽然这些与自己并不相关，韩子飞就是喜欢这种弥漫在空气中的富贵与情调。

或许是太累了，收拾完房间后，韩子飞躺在床上，看了会儿《货币战争》便睡着了。

2007年11月8日 上海太华期货

期货铜价持续下跌，东方俊透支交易，操作的几个账户全线爆亏，其中3个百万级的账户在盘中爆仓。

"很久没有和灵儿一起在家里吃晚饭了。"东方俊停好他的帕萨特往电梯走去的时候，觉得自己这几年有点对不住白灵。他已经不记得自己上次晚上8点前回家是什么时候了。

8号楼801室，东方俊到家门口后，伸手到手提电脑包里找钥匙，这才让他想起右手的伤。刚刚在办公室用拳头打墙壁的时候一开始很痛，但后来就麻木了，现在这只手似乎回过神来，手背的皮肤碰到包的内侧，钻心的痛。

餐桌和客厅的茶几上都放着花瓶，里面的百合花散发出来的香味弥漫了整个家，东方俊心里一暖。走进书房，打开电脑，虽然一天的行情已经过去，但东方俊还是会习惯性地看看各个期货品种当天的走势，更何况他对今天的行情是多么不甘心！电脑启动的时候，东方俊心头涌起一股对白灵的愧疚感。当年，白灵的优雅与美丽令他倾倒；成为他的妻子后，更是常常带给他惊喜与感动。能和白灵在一起，我确实很幸运……另外，似乎还可以向白灵的老爸借点钱，我相信我很快就能赚回来的！

因为很久没有清理电脑，电脑桌面上密密麻麻排满了各种文件和快捷图标，其中有三个期货行情软件图标：文华、澎博和富远，还有七八家期货公司的下单软件，另外还有一家证券公司的行情和下单集合软件的图标，不过东方俊已经很久没有炒过股票，连自己的股票账号和密码都忘了。

东方俊点开澎博，看到首页一片绿色，自责和后悔很快又涌上心头，他的拳头朝电脑桌上重重地砸下去，似乎又忘记了他的手还处在伤痛之中。

"妈的！什么破行情，中国的消费带动这么大，铜居然会跌成这样，难道那几家铜的生产商开始大面积抛空了？真他妈人算不如天算，我怎么就没有提前打听打听消息呢？"

"也可能是有个主力伙同这帮生产商故意砸盘，逼我们这些多头出场！"东方俊暗自悲叹道。

深深地叹了一口气，东方俊打开铜的主力合约，看着近三个月的日K线图："我他妈也是个傻逼，做多的点位这么好，明明已经赚了50％了，居然跌下来还要死扛，技术面早就是空头了，不去做空至少也不能留着多单啊！下次再这样管不住自己，索性把手指砍掉！"

东方俊看着电脑足足发呆了10分钟，电脑屏幕跳成屏保程序：

"爱老婆！交易严格执行规则！！！"这句话开始上下左右来回跳动，这是他一年前设置的屏保。看到这句话，东方俊恶狠狠地暗骂自己。

处理后事吧，东方俊无奈地想。

三个手机，东方俊在下午3点前就已经关掉了两个，只有用来和白灵还有父母、亲戚联系的那个还开着机。他打开那两个已关机手机的电池盖，取出电池和SIM卡，从抽屉里拿出两张新的电话号码SIM卡，掰下芯片装进手机后开机。"新的生活现在就开始，道路还是光明的，我的第一个亿元迟早会到来！"东方俊习惯性地为自己打气，并庆幸地偷笑："幸好没有把第三个手机的号码告诉客户，也没有把家里的电话号码给他们，否则我就永无宁日了。"

这年头，人在江湖身不由己，不留一手恐怕也活不到今天。这就是东方俊在圈子里坚持说自己没有结婚，并且从不带同事、客户到家里的原因。在倒霉的时候，他总要保护自己，更要保护妻子白灵。

"好了，清理QQ！"东方俊似乎轻松了一些。

QQ号码一登陆，三四个小头像就跳动起来，质问、谩骂、讽刺的话迎面扑来，最狠的是那个自称身家数亿的南通开发商陆天成，他的秘书竟然在QQ上留言要灭了东方俊。"真他妈的没素质，土老板就是土老板，连100万都亏不起，不用100万去搏一下，怎么赚1 000万、1个亿呢！"

把10多个QQ号码设为黑名单之后，东方俊又把自己的QQ设为不接受其他人加为好友。无意间，他点了"同学"这个群组，下拉的列表中一个熟悉的名字跳入眼帘。

韩子飞——这个大学时代的挚友，这个中山大学"伶仃诗社"的副社长，这个读书时和他一起帮一家广州的小公司设计财务软件的合作伙伴，这个毕业后和他同时进入广州银星证券工作的好哥们，他的 QQ 签名居然是"满是霓虹的上海滩啊！我的金融帝国"。

　　难道这小子到上海来了？从手机通讯录里翻出韩子飞，这个电话至少 5 年没有打过了。

　　"当你孤单你会想起谁，你想不想找个人来陪，你的快乐伤悲只有我能体会，让我再陪你走一回……"手机铃声越来越响，韩子飞勉强睁开眼睛。

　　"您好！"

　　"韩公子，你到上海啦？"大学时代因为几首破诗，更因为名字的缘故，韩子飞赢得了"韩公子"的美称，东方俊一开始喜欢叫他"文学家"，后来有时也随波逐流改口称他为"韩公子"。

　　"您是？"韩子飞觉得很奇怪，这个陌生的电话打过来，居然开口就是"韩公子"。

　　"我是东方，东方俊！"

　　"东方？！"韩子飞一下子清醒过来，"我以为你消失了呢，你的电话 2003 年以来就没有再打通过。"

　　"我从广州到上海后就换了电话号码，不过我一直存着你的号码！你是不是来上海了？"

　　"是啊，我今天刚飞到上海，你怎么知道得这么快？"韩子飞更是惊讶了，坐了起来，"还说一直存着我的号码，你小子这么多年都不和我联系！这几年都干啥了？"

"还能干啥呢，还在做金融啊，一到上海我就转做期货了，这玩意比股票好，赚钱容易。你来上海是不是有大事要做？"东方俊一想到韩子飞的 QQ 签名就隐约感觉到他要在上海干番大事业。

"你怎么又知道了?! 也不是什么大事，就是要开一个投资公司，做点股票投资啥的。"

"哈哈，明天有空见个面吧，咱们哥俩好久没见了，你开投资公司的话，没准我们还可以搞点合作。"

"可以啊，我正愁着没人帮我呢！"韩子飞突然觉得如果能与东方俊合作，在上海的起步可能会快一些，毕竟东方俊在上海已经 5 年了，而且他大学学的是金融专业，毕业后又从事了 7 年金融，"那我们明天中午在新华路见面吧，这一带你熟吗？我现在住在这一带。"

"熟啊，上海没我不熟的地方，你定一个饭店或喝东西的地方吧，我明天去找你。"东方俊虽然不知道韩子飞说的投资公司会有多大规模，但总是个机会，即使没机会也可以叙叙旧。

"那就明天中午 12 点在新华路定西路口的唯尚咖啡见吧，我下午还要去昆山，时间不能定太晚。"

"那就 11 点见，如何？"所有的单子都已经被迫平仓了，东方俊第二天不用看盘，他觉得早点见面也好。

白灵总是那么楚楚动人，即使在小区里也有不少回头率。今天她一袭白色连衣裙，裙子很长，下摆一直到脚踝处，脚上是一双红色的中跟鞋，上身套了一件淡灰色羊毛背心，用一颗红色的水晶胸针别住，微卷的披肩长发随风而动，路人似乎能闻到她的体香。她左手拎着淡蓝色的手提包，在小区昏黄的路灯下优雅地走着，眉宇间散发出一种安静而略带忧伤的气质。

打开门，白灵看到坐在客厅红色沙发上看杂志的东方俊，有点喜出望外。"阿俊，今天怎么这么早回来？"

"想陪老婆吃饭啊！今天我下厨，做红烧肉、黄瓜炒蛋和香菇青菜，现在就开工。"

"冰箱里还有点干贝和冬瓜，我也来做个汤吧！"微笑的白灵更生妩媚。

"你的手怎么了？"白灵看到东方俊浮肿而又带着血色的右手，慌乱地捧起来，轻轻抚摸。"疼吗？"她抬头看着东方俊，眼神里夹杂着心疼和些许质问。

"不疼，没什么，不小心碰伤的。"东方俊赶紧挣脱开来，不敢看白灵的眼睛，像个做错事的孩子一样，"我去厨房了，你看看电视，我很快就好。"

"我去帮你洗菜吧。"白灵担心东方俊受伤的右手。

半个小时后，热腾腾的四个菜就已经在餐桌上了，东方俊还取出一瓶 2003 年的红酒。夫妻俩品着红酒，吃着刚烧的饭菜，似乎又回到了热恋期。

虽然不是浪漫的烛光晚餐，白灵依然觉得很开心。丈夫爱她，这一点她从来没有质疑过；但是在近两三年的时间里，因为丈夫的工作和应酬，她已经很少被如此感动过。而今天的东方俊却是如此可爱，白灵轻轻地晃动酒杯，带着浅浅的微笑，深情地看着对面的男人——这个她经常心疼到害怕失去的男人。

"吃东西啊，怎么傻看着我呢！"

白灵小小的发呆被东方俊打断，抿嘴笑了。

"灵儿，有件事要和你商量。"东方俊整理了一下思路，伸出左手抓住白灵的手，"我的贸易公司这一年来生意都还算能接上，只是做的单子都比较小，利润出不来，上海的房租和其他成本又比较高，目前都只能是盈亏平衡而已。"

"需要我做点什么吗？"

"是这样的，贸易公司这边最近有了一个比较大的订单，但公司目前没有足够的资金去运作，我想能不能向你爸借一点？"东方俊说到这里突然觉得另一件事也可以一起说，"另外，我在广州读书、工作时的哥们韩子飞，你也认识的，他这几年在银星证券做得不错，现在也到上海来发展了，他要开一个金融投资公司，我比较看好他，想要入点原始股。"

"这两件都是好事情，"白灵觉得东方俊这几年工作很辛苦，有时候眼看着他为一些事情烦躁也帮不上忙，心里总是酸酸的，"前几天和爸爸打电话他还专门问到你公司的状况，他应该会帮你的。你这边需要多少钱？"

东方俊听到白灵这么说，又有些不忍："50万到300万都可以，有多少钱就做多少事。"

"吃东西吧，别想工作的事了。我明天就和爸爸说一下。"

"桐庐人家"这家餐馆韩子飞之前到上海出差时吃过两次，有几道野味不错，招牌菜萝卜骨头汤更是一绝。韩子飞右手拿起茶杯喝了一口，左手拨弄着筷子，听到隔壁两桌的人似乎都在谈论股票投资，右边那桌似乎还有两个人为某只股票能涨多少争论了起来。

在股票有了明显赚钱效应的年代，在全民皆股民的年代，餐桌上的话题已从房地产转变为股票，只是这轮下跌已让不少人的话语中多了份感叹或埋怨的意味。

韩子飞买完单，推门出去，11月初的上海有点凉意，街上的人都已穿起外套，有的甚至还穿了大衣。韩子飞走了一段飘着梧桐落叶的新华路，很快就回到了临时的家。一到家，他又拿起《货币战争》，贪婪地看了起来。

一口气看完这本书已经是凌晨4点了，韩子飞居然没有太多的睡意。趁读完《货币战争》之后尚留在脑海中的万千感慨，韩子飞打开手提电脑，写下一篇《如果美元时代终结》发到博客上。这时，时间已经接近凌晨5点了，再怎么才思云涌也得压制一下，明天中午还要见东方俊，睡觉吧。

韩子飞穿着战国末期士大夫的宽大衣服，头上戴着青铜发冠，脚上穿着笨重的靴子，在满是尘土的路上拼命往前跑，嘶喊着："雪儿，雪儿，你别走！"

前面是一辆马车，车轮滚滚翻起干燥的黄褐色尘土，雪儿撩开帷子，已经哭成泪人："韩哥，你别追了，你追不上的。"

穿着这身行头跑步肯定是跑不快的，要追上马车更是不可能，韩子飞眼睁睁看着马车越走越远，还想加快脚步，不料被石头一绊，正面摔倒在地。挣扎着抬起头，马车已经在尘土中离开了视线，他无能为力地喊着："雪儿！雪儿！"

韩子飞感觉一阵心痛，从梦中醒来，眼睛湿润了。他自言自语道："雪儿，你不该扔下我一个人在此漂泊。"

东方俊不到10点半就到了唯尚咖啡，找了一个靠窗的座位坐下，要了一杯龙井，边品茶边看着窗外新华路的人来人往。说来也奇怪，今天他没有看行情，甚至都没想期市会涨还是会跌。

东方俊确定楼梯口上来的是韩子飞，便站起来，离开座位，走几步迎了上去。

两人多年未见，有说不完的话，寒暄几句之后，就开始回首当年在中山大学共同经历的或快乐或荒诞的岁月。

大约一个小时之后，两个人才问起对方这5年来各自的工作情况，发展如何，发财没有？

东方俊离开广州的银星证券，一到上海就去了一家叫太华期货的公司，从经纪人做起，把一些在熊市中赚不到钱的股票投资者引入期货行业。另外因为老家是福建，在上海还算有点人脉，做经纪业务也算发展不错。2003年，他和白灵在浦东买了一套120多平方米的三居室，现在房价都快翻了两倍了。2004年底，他辞掉了业务经理的职务，转为公司编制外的居间人。这样，一来可以拿更高比例的手续费佣金；二来可以和多家期货公司合作，不会在一棵树上吊死；三来也方便自己做交易和私人朋友之间的代客理财。现在，东方俊基本上算是职业操盘手和居间人，管理两三千万的资金，在太华期货有一个大户室，每个月手续费收入就有5万以上，每个季度还可以和客户分利润。

韩子飞则一直待在银星证券研究部，一开始收入没怎么涨，后来慢慢做到了首席分析师，基本工资拿到了1万多，这两年股市比较好，奖金拿了不少。2004 年底的时候在广州客村买了一套 50 平方米的小户型，房价也是疯涨。这次到上海，主要是和昆山的陈老板合作开一个投资公司，陈老板出 460 万，占 80% 的股份，他出 40 万，占 20% 的股份。公司主要做金融投资，除了注册资本金的 500 万，陈老板自己还会拿 2 000 万～5 000 万给他操作股票或其他金融产品。另外，陈老板还会在昆山的朋友圈里募集一个私募基金，作为衍生的理财业务。

"你混得不错嘛，文学家要自己创业开投资公司了！"东方俊不知道自己是在真诚地祝福还是有些轻微的妒忌，"公司有没有考虑介入期货市场？我觉得现在的股市基本上就是消息市，又只能做多不能做空，而且没有 T＋0 的制度，如果公司加入期货的自营和理财业务，资金的配置上就会多一条出路，同时整个公司的资产配置也更合理，赢利的可能也更大一些。"

韩子飞觉得东方俊说得有点道理："那你觉得期货要如何加进来？"

"公司的资金、客户的资金都可以拿出三分之一左右投入到商品期货，将来股指期货正式上市了，还可以把比例加到二分之一甚至更多，期货这一块可以由我来操作，我现在有一套短线交易系统和中线趋势系统，每年赚 100% 以上很轻松。"东方俊这时已打定主意要加入到老同学的这个将要成立的公司，毕竟运作几千万甚至上亿的资金单单手续费就能拿不少，"或者我也可以出 40 万元，占一点股份，和你一起创业，你不是说没人帮你嘛，兄弟我来帮你好了！"

"我个人当然希望我们一起来做，毕竟股票和期货可以有个互补，至于你入多少股、公司多少资金配置到期货，我们还可以再商量，今天下午我去昆山见陈老板，问问他加一个股东进来怎么样。"韩子飞觉得如果有东方俊加盟，至少公司的起点会好一些，同时东方俊对上海的金融市场也更熟悉一些，只是对他的赢利模式还有点吃不准，"你说的日内短线和中线趋势是怎么做的，每年的收益稳定吗？"

"当然稳定，已经连续 3 年赢利了！"东方俊顺口就说了这句话，"我电脑里有一个账户记录了 3 年来的收益，我打开给你看一下，现在应该已经做到七八倍了，中间还分过几次红。"

韩子飞没看账单，他相信东方俊。自从 10 年前他们在大学校园成为哥们以后，韩子飞就从来没有怀疑过东方俊，当然这一次也不会怀疑。他只想知道东方俊大概的操作手法："挺好，收益很稳定，回撤也不大，你是根据技术面操作的还是基本面？"

"我是纯粹依据技术面操作的，基本面对我来说一点用处都没有，我的理念是'不要预测，找到对策'，市场会告诉我下一步该怎么做，至于我短线和中线的操作模式以后和你待久了，我再慢慢告诉你。"东方俊所说的确实是自己这几年摸索出来的操作原则，只是这看似完美的原则有多少人能完全做到呢？

感觉到东方俊对操作手法有点保密，韩子飞也不再多问，反正以后有的是沟通机会，期货的赢利模式他自己也已经开始在股票技术分析的基础上慢慢研究了，毕竟股市不可能永远是牛市。

投资观小结

韩子飞：

股票投资不能盲目乐观。

东方俊：

连 100 万都亏不起的是土老板。

不用 100 万去搏一下，不可能赚到 1 000 万、1 个亿！

期货比股票赚钱更容易。

第二章 雄 心

只有伟大的目的方能产生伟大的毅力。

——斯大林

上海火车站南广场有四类人：第一类是黄牛，主要倒卖到苏州、常州的车票；第二类是等火车的民工，或坐或躺地在广场上休息；第三类是查身份证的警察；第四类则是匆匆忙忙的白领和商务人士。韩子飞想自己应该算是第四类吧，但到底是白领还是稍高一档次的高级商务人士就说不准了。

昆山离上海很近，乘火车半小时就到了，韩子飞出站时看到一位身材魁梧，穿着皮夹克、戴着墨镜的男子拿着一张打印有他名字的纸片在等他。"陈老板的司机还真够剽悍的，活脱脱像一个混黑社会的。"韩子飞心想。

舒服地坐在奔驰的后座，司机打开收音机调到"上海第一财经"，这会儿正有几个股评家在说今天的行情。看多的还是占主流，春节前看到 8 000 点的也有。听着股评家们的争论，韩子飞微微一笑，想到这样一句话："炒股是高手不说、一般人不懂、评论家赖以生存的行业。"

陈老板的办公室在昆山市中心的人民路,火车站过去,10 多分钟就到了。韩子飞来到 8 楼,这一整层都是陈老板的公司,只不过下午 4 点多却没几个人在上班。

这次到昆山,是韩子飞第五次和陈老板见面。说来陈老板和韩子飞还挺有缘,第一次见面是在上海飞往广州的飞机上,他俩刚好坐在邻座,因为谈得比较投机,韩子飞就推荐了两只股票给陈老板。第二次是陈老板专程飞到广州,塞给韩子飞 20 万,说是买那两只股票赚了不少。韩子飞被他的仗义感动,推托一下也就收下了。然后陈老板说身边的朋友都在炒股票,还有炒黄金、炒期货和外汇的,他很看好金融投资行业的发展,想邀请韩子飞去上海合伙开投资公司,他会拿出 500 万来注册公司,然后再给韩子飞 2 000 万以上甚至 1 个亿运作股票或其他金融投资产品,加上朋友圈的钱可以组一个私募基金做点大事。韩子飞有点心动,觉得是个好机会,于是写了一份投资公司的商业计划书。第三次、第四次见面,都是在上海,两人确定公司注册在上海,然后商议了各自出的资金和占的股份、公司一开始先运作多少资金招多少人、以后如何发展等。

这次是第五次见面,韩子飞感觉陈老板已是正式的合作伙伴。说实话,虽然陈老板稍微有点土,但韩子飞在他身上还是感受到了民营企业家的战略眼光和办事效率。

"小韩,辛苦了,下次让老贾直接到上海去接你。"看来,那个墨镜司机姓贾。韩子飞一进陈老板的办公室,陈老板就热情地招呼起来。

握着陈老板肥肥的右手，韩子飞客气了一下："反正坐火车过来也很方便，才半个小时。"

"小丽，倒杯龙井进来。"陈老板边打电话给秘书，边用手示意韩子飞坐下。韩子飞往沙发上一坐，整个屁股都陷了进去，心想这么软的沙发放在办公室用还真奢侈。

陈老板穿着一件蓝色底配金色花纹的唐装，胸口的花纹看上去似乎是一个龙头，衣服被圆滚滚的大肚子顶起，扣子勉强地扣着，袖口的花纹也是一条龙的形状，一块金表很突兀地戴在手腕上。沙发前的茶几上放着一包熊猫、一包中华，陈老板拿起中华抽出一根点上，他知道韩子飞不抽烟，便自顾吞吐起来。

"小韩，你推荐的中信证券（600030）涨得不错，其他股票跌的时候，它也比较抗跌。这次要是赚了我再给你一点推荐费，有钱一起赚嘛！"

"这个点位要么先出来一下，等下一个机会，要么设好止损。"韩子飞不敢肯定大盘的走势，他也希望股市再创新高，但心里总有点担心，自己的 80 万已经全部出来了。

陈老板吐了一口烟："别这么谨慎，买股票只要赚钱就好，你就再给我推荐一只股票。"

"现在的情况，一定要我推荐的话，我建议你看看隆平高科（000998），它有点超跌的迹象，不知道后面会不会弹起来，保持关注吧。"韩子飞最近看好的股票不多。

"好啊，你帮我看着，弹起来了你就通知我，你推荐的，我买就是。"陈老板对韩子飞推荐的股票从来没有怀疑过，"怎么样，我们的公司你打算选择在哪里办公？一开始怎么操作？"

韩子飞从电脑包里拿出上海地图："我想公司开在长宁区中山公园一带，我感觉那里工作和生活的氛围都不错，交通也很便利，以后你从昆山过来也比较方便，另外我现在租的房子也在那儿附近。"他用手指在中山公园板块画了一个圈，抬头看着陈老板。

　　"这些都由你来定好了，包括租多大的地方，一开始要招几个人，每个人多少工资，包括你自己多少工资，还有要不要买辆20来万的车子，这些事情都由你来定。"陈老板认为这些都是小事。

　　"多谢陈老板的信任……"

　　"以后叫我老陈吧，我们是朋友，马上就是合伙人了。我们要把生意做大，我是充分相信你的才能的。"陈老板觉得面前的这位年轻人确实值得交朋友，至少在生意上可以深入合作，现在外贸已经有点难做了，民间短期融资也不是长远之道，金融投资方面的运作将是2008年的重头戏，而这一块以后主要还是要靠韩子飞。"一开始我们公司的注册资金500万，还有我后续慢慢投入的2 000万～5 000万，你怎么规划？打算怎么投资？"

　　"买车的事情可以明年再说。"韩子飞之所以放下广州年薪30多万的工作到上海，就是想依托陈老板的资金优势和信任搏一把，毕竟金融投资行业在中国才刚刚起步，之后的发展空间不可估量。"人员方面，我想招三个人，一个行政兼出纳，两个下单员，我自己做投资决策和风险管理，业务开发人员暂时不招，前期资金由老陈你提供，做好了我们再去开发一些新的资金。至于场地，我想先租一个50～80平方米、最多一百二三十平方米的办公室就可以了。"

　　"还有，公司不能只做股票，股市不可能永远是牛市，我想还可以配置期货和债券，特别是股指期货正式上市后是一定要做的，另外在必要的时候可以短期配置房地产和黄金。这样多渠道的资金配置可以对冲股市的系统性风险，使我们公司更加稳健地赢利。"韩子飞拿起茶杯喝了一口。

陈老板总觉得韩子飞说话的口气是分析师的汇报，也难怪，韩子飞确实做了很多年的证券分析师："你说的有道理，期货和房地产可以做一点，不过房地产可以往后放一放，因为投房地产资金变现慢，期货是可以考虑的，我现在不少朋友都在弄期货，有大赚的有大亏的，总体亏的多，但它确实是可以赚到大钱的，我想有专业的人做，期货绝对是赚钱的好东西！"

没想到陈老板对期货一点都不反感，韩子飞就顺水推舟："刚好我有个大学同学，叫东方俊，在上海做期货已经 5 年了，我看过他近 3 年做期货的账单，不管牛市熊市都赚得不错，每年都有百分之一两百的赢利，他对我们的投资公司也很感兴趣，想用入股的形式进来。"韩子飞看了陈老板一眼，"我想，要么这样，500 万的注册资金，老陈你这边少出 20 万，就是你出 440 万、我出 40 万、他出 20 万，股权是你占 70%、我占 20%、他占 10%，你觉得如何？"

"也就是说，我再让出 10% 的股份是吧？"对数字，陈老板是很敏感的，"呃，你推荐的人肯定没问题，先初步这么定，你回去后，找办公室、招人、注册什么的先做起来，过几天我去上海和你们两个见个面，具体确定三个人的出资数额和股权分配，把公司章程签掉。"陈老板一看手表，已经下午 6 点了，"我们先找个地方吃饭，边吃边聊吧"。

"陈老板好！"韩子飞和陈老板进入前进中路的君豪酒店时，门口的两位服务员微笑着鞠躬。

一进入大堂，韩子飞就感觉到这应该是昆山最好的酒店了，和大城市的五星级豪华酒店基本上没什么差别。

陈老板带韩子飞到一个包厢，8个冷菜已经摆在桌上，热菜也很快就上齐了，韩子飞看这菜色，估计这桌菜少说也要2 000块钱。在饭桌上，陈老板基本上只谈风月不谈生意，韩子飞也就当是听听故事。

晚饭吃了1个小时左右，陈老板中间出去打了个电话，并和酒店领班说了几句。

"我还有点事，你早点回房间休息，明天让老贾带你去阳澄湖玩一圈，如果想在这里住几天也可以。"吃完饭，陈老板再次显示他的热情好客。

"我明天直接从昆山回无锡，要么上午去一下阳澄湖，中午吃完饭走。"

房间的门铃响了，韩子飞以为是客房服务，开门一看，却是一位皮肤细白、中长头发、大眼睛，穿着白色低胸紧身上衣、超短牛仔裤的女孩。这位有着迷人乳沟的姑娘，看上去20岁左右，甚至可能还不到20岁，应该不是酒店的服务员。韩子飞正纳闷这姑娘是不是敲错了门，艳丽的姑娘娇柔地问道："韩先生吗？是陈老板叫我来找你的。"

"有什么事吗？"韩子飞有点搞不明白老陈的把戏。

"我是来帮您按摩的，陈老板让我使出绝活来服务您。"姑娘嫣然一笑。

这关心好像有点过了，不过韩子飞觉得老陈想得挺周到，因为这两天他都没休息好，按摩一下也是好的。"进来吧。你贵姓？"

"您叫我小安好了，或者 Michelle 也行，"姑娘走进房间，在客厅的沙发上放下手提包，转过头来问，"韩先生，需要我先洗个澡吗？"

"洗澡？不用了吧。你要不就洗个手吧。"韩子飞有点不明白按摩还要洗什么澡。

"您喜欢去房间还是在沙发上？或者其他地方？"

"去房间吧，躺在床上舒服一点。"韩子飞看一眼沙发，觉得那个地方不太适合按摩。

两人走进房间，韩子飞俯卧在床上，对 Michelle 说："先帮我按一下肩膀和背吧，这两天真够累的。"

Michelle 稍微有点疑惑："那我先帮您把浴袍脱了吧。"

韩子飞感觉到 Michelle 那柔软嫩滑的双手在自己肩膀上象征性地捏了几下，就开始在他背上轻轻地游走。这按摩的手法韩子飞没有见过，或许是新创的吧，紧绷好几天的身体瞬间放松下来，迷迷糊糊快睡着了。

按摩停了一会儿之后，韩子飞感觉到 Michelle 的舌尖在舔他的脖子，两片酥软的肌肤正在摩擦他的背，一只手伸入他的内裤抚摸他的屁股，然后两只手同时往下滑，路过他的小腹，直到杂草众生的地方……

韩子飞惊醒过来，侧过身，左手往外一甩一推，右手肘部撑起半个身体。

被推开的 Michelle 后退两步站定，有点诧异和不知所措，四目相望时，竟都是迷惑。

韩子飞看着 Michelle 丰满圆润的胴体、水灵灵的双眼、自然下垂的秀发，突然觉得自己很傻："对不起，你穿上衣服走吧，我不需要服务了。"

"我……" Michelle 想说点什么却噎住了，她快速穿好衣服，拎起包，走到门口时，转过头来，"明天，如果陈老板问起……"

"我会说你很好。"

自从雪儿走了以后，韩子飞就没有碰过其他女人了。他仍然无法忘记雪儿，因为那份爱爱得铭心刻骨。广州那个 50 平方米的温馨小窝里，有着他们 9 年多的美好回忆和快乐。虽然现在触摸不到她，但在梦里他们还是时常相见。

"雪儿，你不该丢下我。"

韩子飞彻底没有了睡意，他穿上浴袍，走到窗口，拉开窗帘，望着天空中那朦胧的月亮和稀疏的星辰，百感交集。于是他打开电脑，在"中华诗歌论坛－韩公子专帖"里写下一首短诗：

行　　走

今夜星星不是很多，
该用什么
来诠释我的夜晚。

快乐和悲哀的元素，
互相吞没，

已经模糊。

剩下的，

只有一张皮囊和一个头颅。

行走，

在行走的路上。

在火车上，韩子飞想起昨晚的事，心里暗笑自己。

从无锡火车站出来，打车到锡山区门楼村也就 20 多分钟。韩妈妈知道儿子要回家，早就在厨房忙开了，倒是奶奶在门口的小板凳上坐着等候孙子。韩子飞已经忘了这是奶奶第几次这么虔诚地等着他回家，落日的余晖洒在奶奶满是皱纹的脸上，浑浊的眼中满是期待与慈祥。

父亲韩中华也特地从 40 公里远的厂里赶回家和儿子一起吃晚饭。

吃饭的时候，父母象征性地问了一下上海投资公司的进展，然后把话题转向近年来几乎每次谈话都会涉及的主题——结婚生子。韩妈妈还旁敲侧击地提到后屋堂弟的儿子都已经两周岁了。

几乎天下所有的父母都会替儿子的终身大事着急，单身的儿子只能支支吾吾地敷衍。

自从去了广州之后，韩子飞很少在 11 月初回家。而每次回到乡下，躲进小楼的时候，韩子飞总是会有很多时间用来怀念过去和展望未来。

韩子飞想起了何涛，这个他小学、初中时代最要好的同学，跟他一起研究数学难题、一起骑自行车放学、一起喝绿豆汤、一起打桌球，甚至一起"追求"同一个女生的兄弟。之前每次回家何涛是必见的，两人一聊起来必然要聊3个小时以上，而这次已经有一年多没见过面，不知道他现在如何了？

"喂，何涛啊，我在门楼，在家里。"韩子飞觉得晚上9点给他打电话不算太晚。

"什么时候到的？怎么不早说，我现在去你那里，等我10分钟。"很久没见，何涛也很想和韩子飞聊一聊，"上次你和我说要在上海开投资公司啥的，现在开始弄没有？"

"这个月应该会弄好吧，你来了我们慢慢说，对了，你现在出来嫂子不会说你吧！"韩子飞突然意识到何涛已经是有老婆、孩子的人了。

"她敢！我马上过来，10分钟。"

何涛比一年前胖了至少20斤，车子也换成本田雅阁了。一年前他的小纺织厂第一次扩充设备，又逢儿子满月，压得自己脸色蜡黄，瘦得只剩一个皮包骨；现在不一样了，腹部微凸、红光满面，3万的面包车也换成20多万的小轿车了。

两人在韩子飞小书房中的两把红木靠椅上坐下。

何涛打开一瓶王老吉："你行啊，快给我报告一下怎么突然自己要做老板了？"

"你不是做老板好几年了吗？金融是钱生钱的行业，它的魅力是无穷的，一旦融进去，一定会着迷的。"韩子飞有感而发，"其实我大学的时候就看好金融行业了，虽然我学的是计算机，但我当年的毕业论文的名字就是《计算机技术在金融市场的应用和展望》。

你不是也自己开厂做纺织品行业的老板了吗!"

"我那是家里的安排,而你是自己的选择,不一样的。你从上大学开始就去自己喜欢的城市,做自己喜欢的工作,规划自己的人生,我没有那么大的勇气,说得好听一点是我热爱无锡这片土地,说得难听一点是我胸无大志、目光短浅。"虽然何涛现在的工厂还不错,但是他始终觉得生命中少了点什么。他本来还想说自己连老婆都是相亲的而不是自由恋爱的,不过想到韩子飞还没有完全从蓝雪的阴影中走出来,也就不说了。

韩子飞拍了拍何涛的肩膀:"在不同的角度,会有不同的难处,其实我们俩没什么差别,我做金融也不一定是我喜欢金融,说实话我也不知道我喜欢什么。我只是觉得制造业的黄金 10 年早就过去了,房地产的黄金 10 年也要进入尾声了,而金融行业的黄金 10 年甚至黄金 20 年才刚刚开始。我只是坚守在一个自己看好的行业而已。之前毕业的时候,或许进入房地产行业会更好,因为这些年房地产行业的发展速度超过其他任何行业,而当时我选择了金融业;现在金融行业终于发展起来了,我可不能再错过机会了。"

不管是初中时代对女生的看法,还是高中时代对大学的看法,从小到大,韩子飞总是会给何涛带来一些新的观点、新的想法。何涛觉得这次韩子飞似乎又升华了一些,或许韩子飞天生就是善于思考的动物,有时候甚至太超前。

看到何涛若有所思,韩子飞接着说:"有时候我在想,我们看到这个社会上很多成功的人,比如希望集团的刘永行、娃哈哈的宗庆后、海尔的张瑞敏、蒙牛的牛根生、联想的柳传志、腾讯的马化腾、分众传媒的江南春、搜狐的张朝阳、盛大的陈天桥、阿里巴巴的马云、万科的王石、SOHO 的潘石屹、万通的冯仑等，他们的成功，很多时候是时代的必然。中国的发展赋予了这个社会很多的机会，在不同的发展阶段，会出现不同的明星行业，从摆地摊到制造业，从网络到新媒体，从日用消费品到汽车、房地产，中国总是有足够的空间和机会给精英们创造财富神话，而我相信，今后的 10 年将是金融行业的 10 年。"

韩子飞越说越兴奋，何涛渐渐明白了他的意思，但并不完全认同，甚至有些不服气："我开纺织厂就是从事制造业，而制造业在你眼中已经是夕阳行业了，照你这么说，我没有大作为了是吧？"

"制造业总体上来说，必然会走下坡路，甚至可以这么说，制造业已经在走下坡路了。不管从资金层面还是技术层面来说，制造业的进入门槛都不高，在全球产能过剩的大环境下竞争必然越来越激烈，当然利润率也必然越来越低。"韩子飞打开第二瓶王老吉，"更何况，现在很多没有做延伸业务的制造业的企业家，已经从老板变成了伙计，这种变化他们自己是无法理解的，因为房地产、金融、国际资本都在吞噬和掠夺制造业的利润，财富转移正在悄然发生，有谁会想到一个有着 100 个工人的工厂老板实际上是在为更高层次的房地产和金融行业的老板打工呢？"

或许韩子飞只是危言耸听，或许自己的工厂现在利润不错，不用理会这些难懂的掠夺关系，但何涛觉得多了解一些可能的危机和应对方法总是有益的："那像我这样的小工厂，出路在哪里？"

"简单地依靠扩大再生产，就是依靠投资拉动或是人力成本拉动的发展模式必须向创新拉动、资本运作拉动的方式转变。你有没有发现，就在我们身边，10 年前差不多厉害的两个老板，现在完全不同了，因为他们一个把所有的利润用来扩大再生产，另一个在5 年前甚至更早的时候介入了房地产开发。而且你同样会发现，他们两个都向银行借了很多钱，只不过银行的利息成了前者的负担，而对后者来说这点利息根本不算什么，因为他用银行的钱撬动了一个很大的杠杆，利润成倍增长。再过 5 年你会发现，现在没有介入资本市场、金融投资、股权运作的企业家大多会被时代甩在后面。"韩子飞顿了顿，想到凭借何涛的资本实力是不可能介入房地产或是进行规模性的金融运作的，"当然，并不是所有人都有足够的资金和资源介入房地产和金融市场，没法介入也没关系，因为不靠资本拉动还可以靠创新拉动。所谓的创新拉动就是生意模式的创新和生产技术的创新，就你目前的情况来看，生意模式的创新最有可能成为突破点。"

"怎么突破才算是生意模式的创新？"何涛感觉有点靠谱了。

"很简单，对企业和商家来说，阿里巴巴和淘宝网都可以带来生意模式的创新，只不过这些平台不是自己的，用起来始终受制于人。真正的生意模式创新应该靠企业家自己创造、自己掌控。比如说现在外贸可能越来越难做，那么对纺织企业来说，重点攻破和服务好内销品牌的服装厂才是正道。再比如说，现在普通服装的价格竞争越来越激烈，但店租成本越来越高，那么重点培养大客户，比如给凡客诚品做代工，就是纺织企业的出路。"

"有道理，但是这些服装厂不是说找就能找到的，而且它们肯定已经有了自己的供应商。"何涛觉得韩子飞说得有点道理，只是操作起来有难度。

韩子飞轻轻叹了一口气："天下没有免费的午餐，连免费的早餐都没有。现在是信息透明的时代，想要找到那些服装厂肯定不难，而想要成为它们的供应商其实也不会太难，只不过需要改掉你以前和其他客户合作的习惯，改进你经常使用的一些商务谈判技巧，同时在一定程度上提高产品的质量，并能够提供更加贴身的服务。"

"有空的时候，你说的那些服装厂我会试着去联系联系，看看没有机会合作。"何涛知道想要韩子飞给更具体的建议就为难了，毕竟他不是纺织行业的人，"那么金融投资呢？你不是马上要开一家投资公司吗，我这边现在有 100 万元现金，其中 50 万元一般不怎么用到，你看看是不是能帮我规划一下做点金融投资，或者直接把钱给你拿去运作也可以。"

"这个么……先不要给我吧，等我把公司做得再像样一点，赢利稳定了，再找兄弟拿钱！我觉得你这钱可以考虑在 2008 年下半年或 2009 年初再买套房子。"韩子飞心想公司注册的 500 万加上老陈一次性的三五千万理财资金，一开始应该不缺钱，何况这 50 万还是何涛的辛苦钱，现在股市的前景不好说，期货的话还得进一步了解一下东方俊的操作手法。

"是嫌我的钱太少了吧……"这时何涛的手机响了，"好，我等一下就回去了！"

韩子飞一听就知道是何涛的老婆打来的，是啊，都已经 12 点了，两人一聊起来总是忘了时间，"嫂子打过来的吧，不早了，你再不回去就是我破坏你家庭和谐了！"

"女人就是麻烦，总是担心我和外面的一些老板瞎混。"何涛把剩下的王老吉一口喝完，"好了，兄弟，我回了，下次再聊。"

白灵这几天心情很好，因为东方俊每天都比较早回家，周末基本上也都在陪她。周日下午，夫妻俩一起看完话剧回家，开的是白灵的车，一辆红色的飞度，不过有东方俊做司机，她就可以舒舒服服地坐在副驾驶的位置上了。

车子开在延安路隧道往浦东的路上，白灵接到父亲打来的电话。东方俊心里有点内疚，好久没给白灵的父母还有自己的父母打过电话了。

"爸爸最近身体好吗?"等白灵挂断电话，东方俊关切地说，"下次和你爸说一下，今年我们去珠海和他们一起过春节，把我爸妈也接过去，这样热闹一点，而且珠海冬天也不冷。"

"你和我爸还真想到一块儿去了。"白灵听了心里暖暖的，"他刚刚也在说让我们回去过春节，对了，上次你说的借钱做生意的事，我爸说先拿给我们200万，如果不够的话他那边过了春节可能还有些其他的余钱。"

"200万足够了，如果不太宽裕，100万也可以，反正我这边生意可以一步一步做。"东方俊当年和白灵交往、结婚，从来没有考虑过感情以外的事情，他觉得自己完全有能力让白灵过上好日子，没想到今天还要用老丈人的钱，这是幸运还是不幸呢?

"晚上我们去小区边上一家新开张的杭帮菜馆吃饭吧，据说主厨以前是西湖边楼外楼里的师傅。"自从5年前和东方俊第一次去杭州之后，白灵就爱上了杭州的山水、人文和美食。之后白灵每年都要去杭州三四次，而且大部分时间还都是一个人去，白灵认为杭州是有灵性的，没有灵性的地方不可能诞生白娘子和许仙的传奇故事。

刚把车子停在小区的地下车库，两人准备一起散步去那家杭帮菜馆，韩子飞的电话来了，东方俊接起电话："喂，韩公子，昆山那边谈得如何了？"

"我和陈老板谈了增加一个股东的事情，就是你出20万，占10％的股份，他初步同意了，下周我再约他到上海，我们三个人见一面应该就能敲定。我这两天在无锡，今晚回上海，明天找你。"

东方俊感觉好事都连在了一起，看来运气要来了。

阳光穿过假山的缝隙，越过荷塘，洒在一片竹简上。这是一个玲珑的苏州园林，穿着士大夫服装的韩子飞在书房的案几边，手拿一卷竹简，正在看书。门外的莲花正在绽放，生机盎然。

韩子飞突然听到雪儿轻声叫唤。

"韩哥，韩哥！"

雪儿飘在一朵莲花上，微笑着望着夺门而出的韩子飞，两个酒窝若隐若现。韩子飞被池塘边的栏杆挡住，恨不得飞过去牵起雪儿的手。

"雪儿，你终于回来了！"韩子飞喜出望外。

"是的，我回来了。"雪儿深情地看着韩子飞，"不过我今天还不能陪你，过几天我会来找你。"说完，雪儿飞了起来，飘然而去。

"雪儿！雪儿！你别走！"

"韩哥，你再等几天，不会太久。"半空中，雪儿回头安慰一句。

手机的闹铃响起，韩子飞又回到星期一的早上。

投资观小结

陈老板：

只要你推荐的股票赚了，我就分钱给你。

期货有人赚有人亏，但这玩意确实能赚大钱。

韩子飞：

很多做实业的老板实际上是在给做房地产和金融行业的老板打工。

天下没有免费的午餐，连免费的早餐都没有。

大资金投资要尽量分散，股票、期货、黄金、房产、债券都可以涉及。

第三章　谋　划

知小而谋强

——曹操《薤露行》

　　"老陈，你这周哪天有空来趟上海吧，见一见上次我和你说过的东方俊，然后我们三个人确定一下公司股份。"早上，韩子飞把公司章程修改了一下，并上网看了看中山公园附近一些写字楼的租赁情况，11 点左右，给陈老板打了个电话。

　　"东方俊？哦，就是那个做期货的对吧。可以啊，让他加进来对公司的投资应该是好的。"其实陈老板一直很欣赏能在期货市场赚到大钱的人，"我这周要接待一帮台湾人，要么周五我去一趟上海？"

　　"好啊，周五你让老贾开车到中山公园，我们就约在午饭时间吧。"

　　"可以。对了，最近股票的行情你怎么看，大盘跌了很多，中信证券的利润我吐回不少。"陈老板最担心的还是他在股市的那3 000万资金。

　　"中信证券走掉好了，大盘既然跌了，我们应该紧跟市场。"

"如果中信证券不赚钱走掉的话，我换哪只股票比较好？最近有没有什么股票要涨的？"陈老板还是不甘心。

"一只股票走掉，不赚钱或稍微亏点也不要紧的，不一定马上要换一只股票，后面还有很多机会……"

"如果一定要换一只能涨的，你推荐哪一只？"陈老板有点不耐烦，他不想听韩子飞讲什么投资理念和交易策略，只想知道现在买哪一只股票能赚钱。

"我上次说的隆平高科可以继续观察，等待时机再买；另外如果短期一定要买的话，可以考虑中粮屯河（600737），虽然我不知道它为什么逆市上涨，但至少从技术图形上看，它现在是可以买的。"

"这只股票是不是最近有啥利好消息？"

"好像没有特别的……"

"那我先看看这两只股票，有不懂的我再问你。"

"好的。"韩子飞觉得陈老板这次做股票比前几次心急很多，不过他现在最关心的还是尽快把公司注册好，"对了，老陈，租办公室和找人的事情我这几天先弄起来，争取早点搞好。"

"可以，你做主好了。"

下午4点，韩子飞看完一个100平方米的办公室之后，和东方俊在中山公园6楼的咖啡厅见面。东方俊对修改后的公司章程没有意见，对三个股东各自出的资金和所占的股权也没有疑问。他提出三点想法："第一，公司除了500万注册资本，陈老板再拿至少3 000万出来作为公司的首批私募理财资金；第二，在公司理财资金的配比上，股票和期货各占 50％比较好；第三，运作期货这一块我需要一个独立办公室和两个专属下单员，还可以再招几个业务员，操作上每年争取 100％以上的收益，每个月可以获得资金量 0.3％～2％的手续费返佣。"

韩子飞认为期货的机会确实比股票多，赢利能力也比股票强，但期货风险毕竟比较大，当然股市也不可避免地会有熊市："最好是 30％的资金配置在期货，40％的资金配置在股票，剩下的 30％可以做黄金、债券、房地产的投资，以后股指期货出来了也可以投资，甚至中小型的风投项目也可以参与。人员方面，我觉得业务员暂时不一定要招，第一年做自有资金应该就足够了，反而行政人员要各招一个，因为前期公司杂事会比较多。"

周二到周四韩子飞又看了十来个办公室，经过比较之后，觉得华宁国际广场 15 楼的一套 116 平方米的和绿地商务大厦 18 楼的一套 152 平方米的比较合适。东方俊建议租绿地商务大厦 18 楼的那套，是朝东南的单位，两个房间，一个大厅，一个会议室。办公室的装修还可以用，格局处理也不错，可以直接搬东西入驻。两个房间，其中大一点的给东方俊，里面可以安排两个下单员的位置，小一点的韩子飞用，办公大厅可以安排 8 个座位。

"晚饭我请你去龙之梦 7 楼的加州 101 吃海鲜自助餐，白灵跟我到上海工作以后，和你也没再见过面，想当年我们一起在广州的时候，不管是在学校还是在银星证券，隔三差五就会聚一下的。"东方俊感慨道。

"可不是嘛，我可是见证了你们的爱情从小火花变成大火花，再到熊熊烈火，中间你还用 20 碗煲仔饭换我一首情诗去哄她呢！

哈哈。"说真的，韩子飞一开始就觉得东方俊和白灵特别般配，甚至可以说，白灵就是上帝专门为东方俊创造的。

"对了，你和蓝雪现在怎么样了？"东方俊想起当年韩子飞和蓝雪可是比他和白灵更恩爱。

韩子飞听到这三个字，顿时黯然，愣在那里："她出国了，短期内不会回来。"

看到韩子飞脸色突变，东方俊想很可能他俩已经分手了，或是韩子飞有什么难言之隐。"说到公司要招一个行政，"东方俊想换一个话题缓解一下气氛，"我这边倒是有个人选，我在太华期货的时候，有个助理叫唐雨秋，是个美女，据说家里很有钱，是义乌那边的一个什么家族企业的千金。来上海工作是因为不喜欢家族的生意和内部的矛盾。她做事心细，很有客户服务的意识，也有足够的气质，我觉得很适合到我们公司做行政，甚至做仅次于你我的管理人员。"

"好啊，下周见个面吧。"韩子飞终于回过神来，"你问问她什么时候有空。"

"没问题，我是她以前的领导，她是我带出来的，别下周了，这个周末就能约。"东方俊也想早点确定下来，"对了，她下单也很快，我曾经专门训练过她，或许她还可以帮我培训新招的下单员。"

"行啊，那就这周末见吧。"

俩人又聊了几句后，东方俊借口上洗手间给白灵打了电话，叫她一起吃晚饭，叮嘱她在韩子飞面前不要提蓝雪。

老陈要来上海了。东方俊将会面地点定在一家港式餐厅，和边上几家比起来，这家餐厅明显要舒适和高档一些，韩子飞从菜单的价格和服务员的素质上感受到了这一点。

"我想让陈老板先拿两三百万做点期货。"东方俊想在陈老板到之前先和韩子飞通一下气，"估计公司注册好还要一两个月，这一两个月可以把注册资金先用起来，一半做期货一半做股票，资金闲着就是损失。"

"这段时间的股市我不想进去，行情不明确，再说我这段时间主要精力还是要放在公司注册、租办公室、招人这些方面。"韩子飞顿了顿，"期货方面如果你觉得有机会倒是可以做做，等一下你和陈老板提一下，看看他是否感兴趣，我感觉他最近被股市套了一点，叫他出来又不甘心。"

"股市被套也好，期货就不怕跌了，可以做空嘛！"东方俊有点兴奋地拍了拍韩子飞的胳膊。

大约中午12点，韩子飞接到陈老板的电话，说他已经在大门口了。

"老陈，你好！"韩子飞伸手和陈老板紧紧地握了一下，"麻烦你这么远跑一趟，我们上去吧，就在六楼。"

"那个东方俊到了吧。"陈老板接过司机老贾递过来的手提包。

"到了，这家餐厅还是他推荐的。"两人走进大门，韩子飞看老贾没跟上来，就转过头招呼老贾，"老贾，你也一起上去吧。"

"不了，他就在这附近随便吃一点。我们谈正事。"陈老板说得很自然。

老贾戴着墨镜，韩子飞看不清他的表情，或许他也根本没有表情。

"都是年轻有为啊！"陈老板和东方俊握手时，觉得东方俊似乎比韩子飞更有神采一些，而这神采就是当初他看中韩子飞并且要和他合作的原因之一。

"哪里哪里，都只是晚辈而已。"东方俊看着这位 50 岁出头的昆山老板，心里揣摩着这张胖嘟嘟的脸后面的财富等级。

"可以上菜了！"韩子飞招呼服务员，陈老板到之前他已经点了一份八菜一汤的套餐，似乎比单点要便宜不少。

"东方俊已经做了 5 年期货。"韩子飞起身给陈老板倒茶，"对期货赢利模式的理解比较深刻和全面。"

"是啊，我们三个人一起做投资公司，一定能做好。"东方俊接过话。

"行啊，股市时好时坏，期货可以弥补。"陈老板似乎是有感而发，"我们三个人的组合，不只是为了眼前的几百万、几千万，你们很年轻，'钱'途不可限量。"

八菜一汤很快就上齐了，虽然每个菜的分量不多，但幸好数量多，整整一个台面。三人边吃边聊，还开了一瓶红酒。东方俊把自己在期货行业的经验、期货交易的理念、自己研究的几个赢利模式以及近几年的收益业绩娓娓道来，陈老板对此很感兴趣。

酒过三巡，几道菜也吃了大半。韩子飞递上修改好的公司章程："老陈，公司章程就是加了一个股东，把股份调整了一下，其他的都没变，你看看。"

陈老板把公司章程翻到带数字的最重要的那一页，看了一分钟："好，今天都签掉吧，小韩拟的文件很清楚。"

韩子飞拿出准备好的黑色水笔，三人签好章程后干杯祝贺。东方俊趁势说："从现在开始到公司注册好，估计还要一段时间，陈老板的注册资金闲着也是闲着，不如拿两三百万开个期货的账户，我这边先运作起来，最近期货行情不错，说不定这两个月还能赚不少钱。"

"好啊，先拿个300万吧！"陈老板一方面不想把闲钱都放在股市里，这几天的下跌搞得他总是紧张兮兮的，另一方面又被东方俊刚刚所说的期货如何如何赚钱打动了，显得出奇的爽快。

东方俊向韩子飞眨了一下眼，嘴角微微上提。虽然很开心，但不能在陈老板面前表现出来。

"期货要怎么开户？"陈老板补了一句。

"我这边刚好带了合同，"东方俊从包里拿出三份合同，"陈老板只要在我用铅笔圈出来的该签字的地方签好名字，其他的地方我来填写就可以了。另外，还需要你的身份证，我来拍一下。"说着东方俊又从包里拿出一款索尼的便携式数码相机，"这相机是1 000万像素的，拍出来比扫描的还清晰。"

韩子飞不禁暗暗佩服东方俊，心想这小子开发客户的能力还挺行，300万就这么搞定了。

"小韩，你有没有在做期货？"陈老板觉得期货似乎比股票更容易赚钱，碰完杯后，向韩子飞提议，"我看你不如也拿个100万给东方俊做做。"

随着这几天对东方俊在期货投资方面的逐步了解，韩子飞倒不是不想拿钱试一试，而是不能动用来注册公司的40万："要么我拿20万吧。"

"对，老韩这边先少一点，20万够了，小资金也有小资金的做法。"东方俊没想到韩子飞也会拿钱出来给他做。

"那我也要开个户了，东方，你这边还有合同吗？"

"恰好还有三份，不过你不急，下午慢慢再填。"东方俊提醒韩子飞，"你这几天不是看了几个办公室吗，和陈老板说说，把这事也定下来吧。"

韩子飞轻轻拍了一下自己的大腿："老陈，这些天我在中山公园这一带看了不下 10 个办公室，最后觉得两个地方——华宁国际广场 15 楼 116 平方米的和绿地商务大厦 18 楼 152 平方米的比较合适。我和东方商量了一下，觉得绿地商务大厦的那套更好一些。要不你等一下和我们一起去看看，就在附近。"

"我下午还有点事，你们俩定了就行。租金怎么样？"

"这边好一点的写字楼，每天每平方米的租金都是 4 块左右，152 平方米一个月的租金差不多是 1 万 8，加上物业费、电费估计 2 万多一点。"说实话，韩子飞觉得这个价格还是有点贵的。

"上海这地方就是他妈的贵！不过我们要做大事，这点成本还是要掏的。"陈老板拍了拍韩子飞的肩膀，"小韩，你觉得好就租下来吧，我下次来上海再去看，钱你先垫一下，开好发票，公司注册好之后报销。"

"对了，陈老板，期货账户管理的风险承担还有利润分红你知道的吧？"东方俊看着陈老板急着要走，赶紧提醒一句。

"不知道，行规是怎样的？"

"行规一般是客户承担 20%～30% 的风险，如果赚钱了操盘手分 20%～30% 的利润。"东方俊顿了顿，怕陈老板不明白，补充说道，"就是说操盘手控制亏损最多是 20%～30%，这部分亏损由客户承担，如果赚钱了客户拿大头 70％～80％。"

"那我们就按风险 20％、分红 20％来做吧。"陈老板不想把风险放得太大，"如果亏损超过 20％呢?"

"肯定不会超过的，亏损我会严格控制的。"东方俊怕这 300 万有变数，"真的超过 20％，超过部分由我来赔。再说了，钱是在你账户里的，你有权随时终止。"

深秋的午后惬意而舒适，韩子飞吃完午饭后特意到上海交通大学走了一圈。交大的校园环境虽然在全国的大学中排不上号，比韩子飞以前去过的厦门大学差远了，和待了四年的中山大学也没法比，不过在中山公园和徐家汇这两大城市副中心之间的这一片宁静和悠远还是值得细细品味的。

也许是毕业有几年了，也许是上海要比广州更时尚一些，交大校园中或穿行或静坐或嬉闹的女生的穿着打扮似乎要比中山大学的女学生新潮很多，表情也更丰富。

真是奇怪，今天居然注意起女孩子了。

走进唯尚，环顾一周后发现没有单独的年轻女性，看来唐雨秋还没有到。他找了一个靠窗的位置坐下，点了一壶菊花茶，拿起刚刚在路边买的《理财周刊》看了起来。大盘经过这段时间的下跌和盘整，股评家们已经从一边倒的看好，变成 50％的人看好、30％的人看平、20％的人看空了。根据以往的经验，在这个时候确实要小心了。说实在的光靠信心是没用的，韩子飞对大盘将来的走势虽说不算悲观，但也不想凭着希望去建议别人买进。

下午 3 点 20 分左右，一位穿着米色风衣的女孩轻跑着上楼梯，桃红泛在脸颊，挡不住白皙如雪的肌肤，微卷的长发在肩膀上轻快地跳舞，心形的水晶发夹把头发别在左侧，大红色的手提包倒是非常显眼。女孩快速看了一圈后，快步向韩子飞走来。

"您是韩先生吗？"韩子飞抬头看到一位身材中等、略显清瘦的女孩面带微笑地看着自己，长睫毛下大眼睛略带淘气地眨了眨，细细的眉毛挂在这双大眼睛之上，一股挡不住的灵气从眉宇间散发出来。韩子飞点了点头，有一种强烈的似曾相识的感觉，竟然勾起一些回忆。

"我是唐雨秋，不好意思，我迟到了。"

"请坐吧，你喝点什么？"韩子飞一向不喜欢别人迟到，不过对眼前这位女孩他生气不起来。

"菊花茶吧。"

韩子飞招呼服务员又上了一壶菊花茶，突然感觉和这个女孩越来越熟悉了，因为雪儿最喜欢喝的也是菊花茶。

"你是东方俊以前的同事吧。"

"是的，他是我的领导。哈，你和东方俊以前是同学兼同事吧？"

"是的。"面对这位女孩，韩子飞看来只能以聊天的形式面试了。"东方俊应该已经和你说了我们要一起办一家投资公司的事情，公司的办公室已经看好了，在绿地商务大厦。公司注册资金是500万，一开始会有三五千万的钱投资股票、期货和相关产品。"

"那是一个不小的基金了。"

"在股票市场，大的私募基金有几个亿甚至几十个亿的，所以应该算是比较小的。不过我们会慢慢把它做大。"韩子飞笑了一下，发现对面的女孩边喝茶边全神贯注地看着自己，"你现在在太华期货做得怎么样？如果对我们公司感兴趣，可以过来，我们现在急需人才，特别是你这样的有经验的人才。而且到了我们这边，发展好了空间也很大的。"

唐雨秋比较喜欢江南才子类的男生，皮肤细腻、唇红齿白，有才华又有风度，而韩子飞似乎就是这样的人。她看韩子飞讲话时那么专注认真，态度又诚恳谦虚，感觉应是可以共事的人。

看到韩子飞的杯子空了，唐雨秋拿起他的茶壶为他续满。"其实我早就辞职了，太华期货倒也没什么不好，只是东方俊离职之后连续换了两任领导，一任比一任差，实在受不了了，就不干了。刚好，昨天是我在太华工作的最后一天。"

"那太好了，要不你下周一就来吧！"韩子飞说完这句就觉得自己有点急了，"不过我们的办公室还是空的，一张桌子一台电脑都没有。"

"那我们就一起弄吧，下周一早上我们碰头，规划好办公室怎么布局，然后就买东西装修起来。第二天就可以正式上班了。"唐雨秋突然很想早点进入工作状态，这段时间在太华上班其实只是走走形式而已，根本没有正经的事在做。

"好啊。"韩子飞心想东方俊这小子推荐的人还真不错，"在太华你是帮老板打工，从下周开始你就当是和我们一起做事业，做自己的事业。"

两人越聊越投机，越扯越远，当天空突然下起大雨时，他们已经从上海的房价聊到《货币战争》了。

唐雨秋一看手机，已经快5点半了，因为6点还有事情，虽然意犹未尽，也只能就此结束本次愉快的"面试"。落实好"底薪

3 000元加奖金的待遇"之后，他们俩向咖啡厅借了两把雨伞。

两人并肩下楼梯时，唐雨秋忍不住问道："你的名字好特别，是不是和韩非子有什么关系？"

"据我父亲说，我出生时，天空的云彩很漂亮。他本想给我取名叫韩霏，但怕韩霏这个名字太女性化了，所以加了一个'子'，变成了韩霏子，后来又觉得太做作，改为韩子霏。但登记户口的时候又改为韩子飞了，这名字的故事挺绕的吧。"唐雨秋笑道："能这么绕，也不简单呢！""我父亲是上海人，是下放到无锡农村的知青，当年在村里也算是有文化的人了。"

看着唐雨秋乘坐的出租车逐渐远去，韩子飞想起 11 年前在中山大学和蓝雪第一次见面时，蓝雪也问他韩子飞和韩非子有没有关系。

回过神来的韩子飞心情不错，到书店买了十来本书，有墨菲的《期货市场技术分析》、李费佛的《股票作手回忆录》、威廉斯的《短线交易秘诀》、克罗的《克罗谈投资策略》等。有些书是为了让自己重温一下以前的知识，另一些则是为了了解期货的技术分析。

这一天，韩子飞又穿上了古代的衣服，骑着一匹白色的高头大马在湖边散步，并排行进的是另一匹白马。骑着白马的蓝雪身着淡淡的青衣，眼神犹如湖水般纯净，身姿犹如柳叶般柔软。

两人停在一株杨柳边，拴好马。微风拂过，柳枝轻轻飘扬，蓝雪的青衣和秀发芳香随风飘散，韩子飞把心爱的雪儿揽入怀中，看着远处在金黄的波光下打渔的船只，青山的倒影屹立在湖中，和渔网与微风泛起的波浪缠绵。

蓝雪解下身上佩戴的笛子，偎依在韩子飞的肩头，凭此湖光山色，为君吹上一曲。

早上 8 点 30 分，韩子飞在微笑中醒来。

神清气爽的韩子飞决定去 MOB 健身会所运动运动。这是一家小型的健身会所，虽然跑步区、有氧区、器械区面积都不大，但由于布局安排比较紧凑，功能还算齐全。他还发现健身房楼上有一个 20 米长的小型游泳池，对于江南长大的他来说，游泳是最喜欢的运动。

这里的会员卡一年 1 800 元，韩子飞觉得偏贵，但在新华路这样的价格还是可以接受的。就在休息区填写资料办卡的时候，两个教练在旁边聊天，其中一个说："老大可真是股神啊！今年他买的股票翻了 3 倍，好厉害，早知道就跟着他买点了，年初的时候没听他的，自己瞎买了几只股票，最多时才赚了 50%，这几天一跌，回吐了不少利润。"

问了他的业务员，韩子飞知道了那个所谓的"老大"就是这里的教练主管，MOB 中的每个工作人员都知道他炒股很厉害，2006 年和 2007 年赚的钱是工资的好几倍。

韩子飞刷卡缴费后，心想下次可以会会这个"老大"。

刚转身，就看到一个教练拿了一张表格走进来。韩子飞看到这位高大威猛的肌肉男胸牌上写着"教练主管陈立君"，想必他就是传说中的"老大"。

韩子飞趁机问道："听你的同事说，你股票做得很不错，这两年赚了不少。"

"老大"有一点诧异，不过很快就回过神来："股票只是玩玩而已，能赚就赚，赚不到也没关系，反正有工作的收入。"

"你平时都要工作，怎么操作股票呢?"韩子飞感觉"老大"的心态不错，不过还想知道他赚钱到底是凭运气还是凭实力。

"我平时不看行情，基本上就是晚上回家看看，再根据一些信息和技术选选股，选好了股票要是没有时间买就打电话让证券公司的交易员买一下。"

"那你主要是看哪些消息呢? 现在网络上信息太多，我都不知道看哪些。"韩子飞假装自己是散户，继续追问。

"老大"听着这家伙似乎是最近被套的那种，于是就稍微点明一点说："股评家的话我很少听，也建议你不要听，最好看都别看，因为炒股基本上还是要靠自己判断的，要知道哪些是主要信息哪些是杂音，另外对银行的流动性政策要特别关注。"

"这样啊，那最近的行情怎么做呢?"

"今年我已经完成投资目标了，而且似乎运气还比较好，超额完成任务，现在的行情我只是轻仓拿了几只抗跌的股票。后面可能会有一波反弹，也可能没有。反正如果有反弹到时可以做一下，当然如果没有也没关系。"

本想和这位"老大"再深聊下去，结果另一个来健身的会员来找他，是一位 40 来岁的女士，看样子是请了"老大"做私教服务。

没想到在 MOB 能碰到一位高手，韩子飞心想下次有机会再找"老大"讨教讨教。

2007年11月19日，隆平高科仍在筑底，而中粮屯河依然处在可以买入状态，似乎运作这只股票的幕后资金比较强或者有重大的内部消息，否则不会不顾大盘的调整一路推高股价。

前期一直强于大盘的中信证券在11月初跟随大盘下跌，但随后强劲反弹，陈老板趁反弹大量加仓，结果中信证券反弹失败，扭头向下，陈老板数千万资金被套。与此同时，铜期货价格大幅下跌，东方俊三天时间就为陈老板赚到20万。

星期一早上，韩子飞到绿地商务大厦时，唐雨秋已经坐在一楼休息区的沙发上了。今天她穿的是一件黄色格子呢料上衣和一条米黄色褶皱中裙，化了淡妆，还喷了少许香水。看到韩子飞向自己走来，唐雨秋收好杂志："前天你等我，今天我等你。"

两人趴在窗台上，用白纸和圆珠笔比划了半个小时，终于画出了双方都满意的152平方米办公室功能划分图。随后找大厦的物业正式签租赁协议，半年的租金和物业管理费共12.3万。签约时，韩子飞用了当时陈老板选的名字——"威尔士东方投资管理有限公司"。

韩子飞叫人把电脑运到公司时，唐雨秋正在指挥工人组装会议桌，而几个独立办公桌、一个组合办公桌还有书架已经组装完毕了。

两人累得满头大汗，终于把所有的电脑组装好，所有的物品都放在合适的位置。

"今天辛苦了，晚上请你去吃西餐吧！"下楼时，韩子飞邀请唐雨秋一起去吃西餐犒赏她。

"感谢老板的关心，不过今天我还有一些私事要处理，欠着下次请吧！"

唐雨秋一手拿着一束百合花，一手拿着面包往嘴里送，匆匆走进医院，直奔住院部5楼。在5楼过道，她啃完面包，把装面包的塑料袋扔进垃圾桶，用手擦了擦嘴巴，然后走向502房间，轻轻推门而入。

看到病床上的老人似乎睡着了，唐雨秋轻轻地问病床边穿着淡紫色花边圆领外套的母亲："外婆今天好点了吗?"

唐妈妈一头乌黑的短发，眉毛修得整洁细长，脸上似乎没有过多的修饰，脖子上系着一条淡雅的丝巾，清爽而干练。

"今天怎么这么晚才来?"唐妈妈边问边接过花插在病床边的花瓶中。

"公司里有点事耽搁了。"唐雨秋在母亲身边坐下，把手提包放在凳子上，"今天医生怎么说?"

"医生说手术后恢复得不错，我看还要在医院多观察几天。"

这时外婆醒来了，看到唐雨秋母女俩并排坐着："雨秋来了啊，明天就别过来了，我已经好了，还是早点出院吧。"

"你别老想着出院，等医生说可以出院了再出院。"唐妈妈略微有点不耐烦，估计外婆已经提过好几次出院的事了。

"人老了，有点小毛病是正常的，不要一点小病就到上海看。"

"你这还是小病啊，还好来得早，再拖下去就麻烦了，以后我得找人专门看着你。"

唐雨秋笑着对外婆吐了吐舌头，向一脸无辜的外婆表示一下安慰。

"老陈啊，绿地商务大厦 18 楼 152 平方米的办公室我前天已经正式租下了，半年的租金我付掉了，电脑啥的也买好了，总共花了 20 多万。"

陈老板正看着电脑的大屏幕，一半是中信证券的闪电图，一半是沪铜的走势图："行啊，公司注册的事你先跑起来，注册好以后这些钱用发票在公司账上报销。"

"好的，我最近招了一个行政经理，是东方俊以前的同事，她已经来上班了，正在跑注册的事情，我想最少两个星期，最多一个月就能搞好。"说实话，韩子飞垫了 20 万后很想尽快把公司正式做起来，但看着近期大盘的行情，500 万注册金加数千万首期资金进来后不一定好做……

"公司日常的工作还是由你来管理。"陈老板打开东方俊帮他在做的期货账户，不出所料今天资金又上涨了，"东方俊那小子期货做得不错，才 3 天时间已经赚了 20 万了，看来在期货里做空确实能赚钱，股票就不行了，这两天可亏了不少。"

东方俊的期货操盘水平还真不是吹的，或许公司早点注册好也是好的，可以先在期货市场运作起来，韩子飞心想。

"你的中信证券还没走掉？上次推荐给你的中粮屯河有没有买一点？这只股票这两天还有买入机会。"

"别提了，中信证券还没抛呢。上周末我又问了几个专家，都说大盘不要紧，这只股票更不要紧，现在这个点位应该只是小幅回调，我不割肉，一割可就真的亏了。"陈老板有些后悔前几日加仓太猛。

"要么你抛一半换成中粮屯河，或者再加点资金买点中粮屯河。"韩子飞索性想个折中的办法来减少损失。

陈老板打开中粮屯河的 K 线图，一拍大腿："哎哟，狗日的中粮屯河走得还真好。"

"感觉有个实力挺强的庄家在做这只股票。"

"好吧，我再研究研究，资金方面也需要再调配一下，不清楚我再给你电话。"

下午 3 点多从浦东开车到浦西，道路不算拥堵，东方俊心情畅快，哼着小曲。

来到 18 楼，东方俊推门一看，公司竟然已经蔚然成形，又是一喜。

三人走进会议室，召开"威尔士东方投资管理有限公司"第一次工作会议。首先是唐雨秋汇报公司注册事宜的进展情况。所有的注册流程都顺利的话，三周时间应该能完成。其次是韩子飞计划着公司注册资金和首批资金到位后期货投资可以先启动，股票则少配置一点，因为大盘的走势还不能确定，而东方俊的期货做得不错。韩子飞自己个人投入 20 万的账户也会在本周搞好，下周一交给东方俊操作。

"我下周一到这里来上班，同两位并肩作战。"东方俊看到整个办公区布局不错，自己的独立办公室空间也够大，光线也挺好，心情不错，"我对这段时间期货的行情保持乐观，赢利会进一步放大，凭着期货的反周期效应，我们完全可以打好第一仗！至于两个期货下单员的招聘和培训工作，就请雨秋多费心了。"

"短期而言，房地产或其他产品的投资价值都不高，我会保持跟踪这些产品的价格指数，寻找合适的买入机会点。但公司正式运作了，公司的钱不能闲着，公司的人也不能闲着，你们看有没有其他事情可以做的？"韩子飞觉得光做好刚刚说的那些还不够，对一家"资金充沛"的公司来说，还需要一些其他的动作。

"老韩，你大学学的不是计算机专业嘛！我看我们可以搞一个论坛，组成一个'股票期货俱乐部'，现在都流行网络炒作，我们也可以在网上拉点理财客户。"东方俊突然想到一个朋友利用网络开发客户相当成功。

"这个主意不错，我们可以逐步建设一个股票期货投资者的日常交流社区，最好是集趣味性、知识性、赚钱效应于一身，一开始先培养人气，凝聚了大量的投资者之后，会有相应的价值产生。我可以做这个论坛的版主之一，哈哈。"泡论坛刚好是唐雨秋的爱好之一，东方俊的这个提议她当然赞成。

韩子飞趁着东方俊和唐雨秋发言的时候，理了一下思路，在笔记本上画了一个论坛结构图，然后也附和："没错，这是个好想法，我们可以把论坛取名为'期股争霸论坛'，分为股票和期货两大区，再各自分为几个小区，分别可以有投资高手专区、行情讨论区、消息分享区、技术分享区、原创区。在投资高手专区我们可以给各大高手建立专区讨论，我们各自都认识或是知道一些股市、期市中的投资高手，先通过各种形式主动地把他们的资料全部收集过来，比如介绍他们的战绩、理念、交易方法、生活趣事等的文章、视频。这样粉丝们就会进来，假以时日，论坛的人气就会旺起来，到时我们可以邀请高手直接加入，参与发帖回帖，甚至组织见面会、投资讲座等。原创区我可以每天写一些原创的帖子，东方有时间也可以写一些。而唐雨秋则每天都要维持论坛基本的热度，需要大量灌水，信息不够要找信息发，口水不够要狂吐口水。"

"这些分块我都赞成，不过论坛一定要有展示区，就是要贴实盘交易的裸单，还有各个股票期货实盘大赛的排名，最好还有比赛前几名选手的操作记录，这是最受欢迎、也是最容易引起话题的内容。"东方俊想起自己偶尔逛论坛时最关注的内容。

……

意气风发的人聚在一起，似乎容易产生意气风发的想法，容易成就意气风发的事业。

整个周末韩子飞都在看书和做读书笔记，虽然之前对金融投资的技术分析已经有了深入的了解，但系统性地把一些理论重温一遍，还是能有很多有价值的新体会，同时对期货的技术分析也有了更多的理解。也许期货投资和股票投资最大的不同就是期货可以不用太在意基本面，也不用听任何所谓的消息，在多空双向赢利的机制下，在 T＋0 和接近 10 倍保证金杠杆的交易规则下，投资期货似乎可以仅靠技术分析就实现持续赢利。至于如何根据有效的技术分析方法，开发出在一个周期内能够稳定赢利的交易方法，还需要再通过数据统计或是模拟盘、实盘测试的形式来获得，当然向东方俊这样的"赢家"多多讨教应该会缩短走向赢利的道路。

看来之前业内很多人说期货风险很大很容易爆仓的观点也需要进一步探讨，至少期货是一个理论上能够实现永续赢利的市场。韩子飞一想到这一点，就兴奋异常。因为投资公司开业后，只要在期货上有所作为，就不用管股市行情如何了，也就是说理论上公司可以在其他股票私募基金都不赚钱或是亏钱的时候保持不错的赢利。

看来，让东方俊加盟公司成为股东的决定是正确的，也是战略性的。

"唐雨秋周末一般都做点什么呢?"韩子飞忽然闪过这个念头。他摇摇头叹了口气，决定独自到上海交大的校园里走一走。

而这个时候，唐雨秋正在医院里陪外婆散步，外婆的病已无大碍，过几天就能出院了。停下来在长椅上休息时，唐雨秋也想到了韩子飞，这位"新上司"、"新老板"充满了创业的激情和对成功的渴望，做事情也比较务实，至少要比东方俊这家伙务实一些。不知道这样的"才子"感情生活是怎样的，喜欢的女孩子又是怎样的。唐雨秋和大学时交往的男朋友分手后，独身一人来到上海这座繁华却又冷漠的城市，爱情的心扉已很久没有开启。还好母亲经常以各种理由到上海来看她（包括这次母亲把外婆送到上海治疗也有一部分原因是为了她），否则她真觉得自己像一朵被人遗忘的小花一样，迎着阳光独自开放，迎着霓虹暗自芬芳。

身边的外婆，看着陷入沉思的外孙女，安静而慈祥地微笑着。

投资观小结

韩子飞：

紧跟市场。

一只股票平仓，不一定要马上买入另一只。

买股票光靠信心是没有用的。

如果发现有庄家在做一只股票，可以在合适的点位跟进。

至少，期货是一个理论上能够实现永续赢利的投资市场。

陈老板：

很欣赏在期货市场能赚到大钱的人。

期货连做空都能赚钱真好，股票就不行。

股票浮亏不能割肉，一割就真的亏了。

东方俊：

资金闲着就是损失。

股市下跌亏钱时，期货有着反周期效应。

健身会所的"老大"：

股评家的话最好不要听，投资股票要靠自己判断。

投资股票要对银行的流动性政策特别关注。

第四章　憧　憬

八千里路云和月

——岳飞《满江红》

2007 年 11 月 26 日，铜期货在反弹后继续下跌，东方俊坚决看空，趁着反弹他给陈老板的账户加了不少空单，准备大大地收割一笔。

中午收盘后，东方俊走进韩子飞的办公室报喜："你 20 万的账户今天第一天交易，一个上午就给你赚了 6 000 块，不错吧。"

"你小子手段很高明啊，看来期货做得好果然是理财的明道！"韩子飞既惊讶又高兴。

"而且光一周时间就已经帮陈老板赚了 36 万。"

"我最近也看了一些期货技术分析和投资理念的书，感觉它和股票相比确实有不少优势，特别是对专业的理财人士来说，期货或许比股票更容易赚钱。"韩子飞自己也有点手痒痒的，"我看期货交易主要分为按趋势交易的中长线、短线、日内超短线，还有就是套利交易，你用的是哪一种？"

东方俊顿时收起了笑容："我的方法是自己独创的，和传统的趋势交易或者套利交易都不太一样，等过段时间我再和你慢慢沟通。盒饭来了，先吃午饭吧！"

这小子还真保密！韩子飞心想，如果这段时间股市还是没有起色，就尽快把"期股争霸论坛"做起来，至于期货赚钱的方法，就慢慢探寻吧。

收盘后，东方俊在办公室回顾一天的交易记录，不时用计算机算一些数据，偶尔发出叫好或遗憾的声音。

"俊总，这两个人的简历你看一下，我面试后挑了挑，觉得她们比较合适做下单员。"

"招人的事情，雨秋你定就可以了，只是工资开多少你要问一下老韩。"

星期二上午，东方俊又帮韩子飞赚到两千来块，于是中午韩子飞请大家吃顿好的，表示祝贺。

东方俊还是建议去加州101吃自助餐，三人坐下吃了半小时后，都已经差不多七八分饱了，之所以还不走，是不想对不起每人138元的价格。

隔开三四张桌子，有五个穿西装打领带，但一看就不是白领一族的人坐在一起。其中一个人的西装颜色是橙黄色，另外四个则是黑色，橙黄色的坐下了其他四个才唯唯诺诺地坐下。这帮人坐下后，正对着东方俊一桌的那位，眯起眼睛看了他们三个一分钟左右，和其他几个伙伴不知道说了什么，五个人就同时看了过来。

"那一桌人好像一直盯着我们。"唐雨秋刚好正对着那伙人，抬手指了指。

"我想他们是在看你这位大美女吧……"东方俊转过头看了一眼，慌张地转了回来，变了脸色，"你们慢慢吃，我去一下洗手间。"

那伙人看到东方俊准备离开，"橙黄色西服"示意两个去追，这两人一个跟着东方俊走扶梯，另一个则从电梯走，俨然去拦截的样子。

东方俊见势，不得不小跑起来，自动扶梯上的其他人被他撞得扭来倒去。跟在他后头的两个也跑步追了上来。

东方俊跑到龙之梦门口的时候，坐电梯下来的那两位"黑西服"已经等候多时，四个"黑西服"包抄起来，拦住了东方俊。东方俊眼看无法突围，只好堆点笑容到脸上："各位，怎么这么巧在上海出差，你们陆老板最近还好吧！"

"我很好啊，承蒙东方兄还惦记着，哈哈哈！我可是还惦记着我那可怜的100万喏！"坐下一部电梯出来的陆天成边大声打招呼边大步向他们走来，"兄弟们，今天给我打个够！"陆天成扔下烟头，用穿着布鞋的脚使劲踩下去。

"快帮忙叫警察！快帮忙叫警察！"东方俊赶紧抱着头。顿时十个拳头、十条腿暴风雨般地向他打来。

逛商场的人没见过这架势，大部分都赶紧跑开，然后远远地站在一边看热闹。幸好有个保安看到了，走进办公室打了110。

一听到警笛声，陆天成就招呼手下撤了。

东方俊从地上爬起来，整理了一下衣服，擦去嘴角的血迹。而围观的人群，还在指指点点。

在众人目光的相送下，东方俊走向商场一楼的洗手间，用水清洗后，脸上还是青一块紫一块的："流氓！乡巴佬！下手这么重。"看来再上去吃饭是不行了，总不能让韩子飞和唐雨秋看到自己这副模样。东方俊从口袋里拿出手机："老韩啊……"

"你小子在哪里啊，怎么去趟厕所要这么久？"韩子飞正和唐雨秋聊在兴头上，一时还忘了东方俊。

"白灵刚刚打电话给我，说家里突然有点急事，你们先吃着，下午我就不去公司了，明天可能也不去，我会在家里做盘，两个账户的操作你不用担心。"

下午刚收盘，韩子飞的手机响起。

"小韩啊，东方俊还挺厉害，一个多星期已经赚了40多万了，我看他做期货有两把刷子，以后公司可以把资金多放一点在期货上。期货比股票赚钱容易多了，哈哈！"

"是啊，当时我推荐东方俊加盟公司就是因为他期货交易水平好，而且更重要的是中国的股市不可能永远是牛市，如果遇上两年熊市公司的资金就没了出路，配置一部分资金于期货就不怕牛熊转换了。"韩子飞很高兴陈老板这么快就认可了东方俊。

"那公司注册的事情就尽快弄吧，弄好了我们就多拿一点资金上马。"

韩子飞挂断电话后，打开自己的期货账号，发现今天早上有好几笔交易记录，而动态权益已经到了23万左右，也就是说东方俊两天时间已经帮他赚了15％。看来期货投资这一块可以安心地交给东方俊了。

"韩总，这两位是新来的下单员，这是何冰，这是刘佳妮。"

"韩总好。"何冰小姑娘似乎有点害羞，抬眼看了一下韩子飞就低下了头，而刘佳妮则是微笑地看着韩子飞。

"你们坐吧。"刚一开口，韩子飞就发现他房间里的小沙发最多只能坐两个人，"唐雨秋，你去搬一把椅子进来，我们一起开个小会。"

"雨秋姐，我去拿吧。"刘佳妮抢在唐雨秋之前推门出去。

三人在韩子飞前面坐定，他觉得房间顿时小了很多，现在他觉得以前在广州时银星证券的老总办公室做成50多平方米那么大也是有道理的。

"你们的简历，我都看过了，对你们的基本情况有了一定的了解。试用期和转正之后的待遇唐雨秋应该也和你们说过了。何冰还有刘佳妮，你们两位作为我们公司的第一批员工，今天正式上班，我向你们表示欢迎，今天中午我请你们吃饭。以后每一位新员工进来，我都要请他（她）吃饭，公司所有的员工一起吃，以此表示欢迎。"韩子飞顿了顿，看到何冰似乎在笔记本上写了几个字，刘佳妮还是微笑着，而唐雨秋则是单手托着下巴，目不转睛地看着他。和唐雨秋四目相望时，韩子飞顿时不知道眼神往哪儿放，只好转过头看自己的电脑。

唐雨秋也下意识地动了一下，放下托着下巴的手，眼神转向何冰和刘佳妮。

"我们公司从事的是金融行业，做股票、期货等方面的投资，将来还可能涉及债券、外汇、黄金、房地产等投资，同时我们还要做一个'期股争霸论坛'。"韩子飞把目光移到刘佳妮那边，这样他会舒服一些，"我认为中国制造业的黄金10年早就过去，房地产最辉煌的10年也即将过去，当然中国的房地产会因为城市化或者说是城镇化的继续推进而保持发展，但高速发展很快就要结束，转而进入平稳发展期；而中国的金融行业，特别是金融投资的黄金10年甚至黄金20年才刚刚开启，我们选择这个行业，并且努力地去做，一定会有很好的明天。一个人能够工作的时间是有限的，可能只有30多年，我希望自己的30年能够与中国最有发展空间的行业共同成长，同时希望你们的30年也是如此……"

这番话唐雨秋从未听韩子飞说过，不知道这是他来上海创办公司的原因，还是为了本次开会脱口而说的，应该是前者吧。

"接下来的两个星期到一个月时间，唐雨秋你就开始训练何冰和刘佳妮，先是熟悉期货的每一个品种和各自的代码，每一手多少吨、每个品种的保证金比例是多少。然后每天用模拟单下至少100笔，包括限价单、对价单。不同的单子要安排不同的手数，直到连续一个星期没有一笔错单，才能正式上岗，做东方俊的实盘下单员。"韩子飞根据自己多年来对股票下单员职能的了解和这段时间恶补的期货常识做出如此安排，不过他还是不够肯定自己说得是否全面，"唐雨秋，你看这样培训下单员是否合适？你也可以提出自己的想法，或是培训过程中根据实际情况来逐步改进方法。"

唐雨秋心中暗暗佩服，真没想到韩子飞对期货居然这么了解，说实话她自己也没有系统地考虑过如何既快速又有效地培训下单员："就先按韩总规划的培训，我都已经记下来了，需要完善的时候我再和你商量。"

"公司注册的事情你那边再抓紧一下，这几天陈老板因为东方俊帮他赚了不少钱心里正开心着，我们要趁热打铁。"开完小会之后，韩子飞让唐雨秋单独留下。

"如果公司名字核名好了的话，下面的程序就快了，基本上就是验资、开设公司基本账户、工商注册、税务注册等。应该两三个星期就可以弄好。"

"好的。"唐雨秋做事步骤性和逻辑性都很强，效率也挺高，韩子飞比较欣赏甚至有点感激，"对了，'期股争霸论坛'的雏形我已经差不多设计好了，你明天帮我租个服务器，我们本周就把论坛上线。"

在唐雨秋的协助下，"公司"已经有条不紊地运作起来，而东方俊又在发挥着财富增值器的作用，韩子飞认为到目前为止进展一切顺利。

在曾经创造过无数财富传奇的上海滩，大干一场的时候快到了。

2007 年 11 月 28、29 日，铜期货价格大幅反弹，陈老板的账户因为仓位太重而损失惨重，但东方俊决定再扛两三天，因为他觉得铜仍处在下跌通道之中，反弹之后会有更大幅度的下跌。

与此同时，A 股市场的数次反弹反攻均告失败，大盘指数已从6 124 点跌至 4 800 多点。虽然大盘的投资价值已尽失，但某些个股还是存在着不错的买入机会。

"期股争霸论坛"正式上线，最重要的板块是投资高手专区、消息分享区、原创区和实盘裸单展示区。为了让论坛尽快火爆起来，至少一开始得让它看上去很热闹，韩子飞要求何冰、刘佳妮每人每天在收盘后用不同的马甲至少要发30个帖子或回复。而唐雨秋除了每天要在论坛发50个以上的帖子或回复之外，还要负责通过线上线下各种形式推广论坛。韩子飞自己则每天负责写一篇原创文章，内容或是与股票、期货相关的各个方面，比如热点板块、技术分析、个股分析、期货品种分析、交易心态、交易纪律、资金管理、风险控制等，或是对宏观政策、经济走势、热点事件发表观点或评论。

　　三四天后，论坛看上去已经如火如荼。虽然登陆的群体直接回帖率还不高，但出乎意料的是每天已有数百人登陆，同时在线最多人数达到四五十人，每天注册会员有七八十人。韩子飞认为下一步要做的除了保持论坛的更新热度以外，就是和其他各大论坛、网站互换链接，同时最好能谋求一些投资高手的一手信息发布。

　　"老陈啊，公司核名已经下来了，你有空来一趟上海吧。"11月30日，周五上午，工商局通过了"威尔士东方投资管理有限公司"的核名，接下来就是开户验资了。

　　"我这几天在无锡出差，今晚回昆山，下周一我去上海找你。"陈老板已经几天没有看盘，"对了，最近行情如何？"

　　"股市还是不太好，不过上次推荐你的中粮屯河还可以买入。"

　　"中信证券呢？"

　　"不太妙，不管最近有没有反弹，我都建议你走掉。"

"好的，知道了。"陈老板盘算着这次买中信证券可亏了不少，"公司弄好，我们多投入一点到期货吧，股票这玩意单边市，不好玩。"

近期，中国人民银行、中国银行监督管理委员会出台了《关于加强商业性房地产信贷管理的通知》，韩子飞认为"二套房贷款政策"的从严预示着 2008 年房地产价格会相对理性，但在面粉不断涨价的年代，面包是不可能降价的，房价经过 2008 年的稳定之后，2009 年应会继续上涨，所以买房还是要趁早啊。

夜深人静，韩子飞正在写文章评论房产新政，手机响了。

都 11 点了，陈老板会有何事呢？

"老陈，你好。"

"我不好啊！"陈老板大声吼道，"你马上给东方俊打个电话，问问他我那个期货账户怎么回事？"

韩子飞很是不解，账户前几天还做得好好的，可赚了不少啊："你的账户出了什么问题吗？"

"什么问题？你这两天都没看过他做的账户？"陈老板几乎要咆哮起来，"什么问题？300 万的账户之前差不多已经赚到 350 万了，刚刚我打开账户一看，只剩下 200 万了，短短几天就亏 150 万啊！这东方俊在搞什么名堂？"

"会不会是你弄错了？中间有没有从账户转出一些钱？"

"怎么会弄错呢，这个账户的密码只有我和他两个人知道，我现在把账号密码告诉你，你自己看一看。"

韩子飞打开陈老板的期货账户一看，真的只有 200 多万。再仔细看一下这几天的交易记录，发现东方俊一直在做空铜，之前赚钱是靠做空，而近几天大亏也是因为做空，这几天行情一直在涨，而他仓位又放得太重……

刹那间，一盆冰水劈头盖脸地向韩子飞泼来，宛如100只老鼠钻进了他浑身的血管。

"东方啊，怎么回事，陈老板的账户怎么才几天时间就亏了这么多？"韩子飞即刻给东方俊打去电话。

"老韩啊，你先不要心急，做期货有赚有亏是正常的，你也和陈老板说一下，亏掉的钱很快就能赚回来。"东方俊从房间里出来，避开白灵，走到客厅的阳台上。

"你让我怎么和他解释呢？当时你还保证说亏损控制在20％，超过了你可要赔的！"韩子飞很不满东方俊刚刚的说辞。

"这几天白灵病了，我没太多时间和心思看盘，但我还是有分寸的，比如你的账户就只亏了3万，毕竟我们是兄弟，再怎么样也不能让你承担太多风险。你再和陈老板说一下，钱会赚回来的，再给我一个星期一切都会解决，好吗？"

"不管怎样，你都不能言而无信，说好亏损控制在20％，现在都超过30％了，以后我们和陈老板合作可能会有隔阂了。"韩子飞也不想就此放弃，毕竟到上海来是想开创出一片天地，"陈老板那边我再尽力说说，等一下给你电话。"

这次亏钱是因为白灵生病的缘故？也只能相信他了，不然怎么办？

"老陈啊……"韩子飞理了一下思路，拨通陈老板电话。

"东方俊怎么说？"陈老板迫不及待地打断了韩子飞。

"老陈你先别急，情况是这样的，东方俊这个星期都没到公司上班，他老婆病了，这几天可能是没时间看盘，结果行情变化比较大，所以亏得多了一点。"韩子飞想先稳住陈老板，"他说下个星期能够赚回来。"

"赚回来，怎么赚？要是再给我亏 100 万，我去哪里找他？"

"要不，再给他一次机会？"

"我看不能再给他机会了，赚得快，亏得也快，这次老婆生病，下次还老爸生病呢！"陈老板叹了一口气，"小韩啊，我倒不是责怪你，也不是非要他赔钱，100 万我还是亏得起的，只是我们找合作伙伴是要长期合作的，总不能找个定时炸弹吧！"

"东方俊的人品我是知道的，毕竟我和他同学四年，又同事两年，以前他也是广州银星证券的。"韩子飞虽然嘴上这么说，心里也在琢磨着"定时炸弹"。

双方沉默了 30 秒。

"我看这样吧，我周一早上先撤出 100 万，留下 100 万再让他试试，如果还不行就当我倒霉。"陈老板心里也很不甘心，既然韩子飞这么信任东方俊那小子，就留 100 万赌一下。

"多谢了，老陈。"韩子飞五味杂陈，不知道是该感激还是要自责，"那你下周一还来吗？公司注册的事情。"

"我不去了，公司注册先缓一缓，等我确定了东方俊的能力和为人再说。今天先这样吧，有事再联系。"

挂掉电话，韩子飞给东方俊发了一条短信：陈老板的账户可以继续做下去，但下周一早上他要转出100万，这是最后的机会了，如果做不好，可能连合作公司的事情都要黄掉。东方，你好自为之啊！

东方俊回短信说：谢谢，你放心，我会做好。

韩子飞还是有点不放心：下周一你到公司来上班吧。

东方俊回复：好的。

韩子飞打开自己的期货账户一看，果然只有16.9万了。

"我那80万现金，租办公室、买电脑设备花了20多万，让东方俊做期货的20万又亏了一点，剩下的40万原本是想用来尽快注册公司的，看来没想象中那么顺利了，现在公司每个月的开支再加上房租、生活费要1万块左右，这样下去可不是办法。"

东方俊啊东方俊！期货啊期货！韩子飞一夜无眠。

看几部喜剧片麻醉自己，无用。

"看来，股票不能放，期货的赢利模式也必须自己研究，单靠东方俊，必然不轻松啊！"

虽然大盘在这个点位已不适合投资，但是箭在弦上不得不发。韩子飞仔细分析了几十只股票，最终还是决定下周一先转30万到自己的股票账户上。其中，买三分之二仓位的中粮屯河，因为他通过各个渠道打听，已经明确这只股票背后的庄家实力，而且上市公司似乎也比较配合，总在合适的时候发布适合的公告；另外保留三分之一资金准备买隆平高科。

只能这么一搏了。

12月3日一早，韩子飞寻找一个合适的点位买入20万中粮屯河。陈老板则从自己的期货账户转出了100万。

中午，韩子飞与东方俊足足聊了一个半小时。就公司的理想和目标而言，两人高度一致；对于期货操盘的方法，东方俊这次显得比较大方，就中、长、短趋势交易的基本做法向韩子飞提点了一二，韩子飞马上就有了豁然开朗的感觉，证明东方俊期货交易的水平确实不虚；关于陈老板的虚账户，两人都认可在风险可控的情况下需要搏一把的观点；关于如果还是没做好陈老板的期货账户公司该怎么办的问题，两人有了较大的分歧。

"公司要做下去，如果陈老板不参与，我们也要寻求新的合作伙伴，哪怕只有我们两个人甚至只有我一个人也该坚持下去，在没有彻底输掉之前，不能认输。"韩子飞雄心未泯，不在上海滩闯出点名堂来他绝不甘心。

东方俊却不以为然："天下任何事都是好聚好散，如果和陈老板合不来，不合作也罢，反正世界上有钱人多的是，总能碰上趣味相投并能长久合作的伙伴。如果一时找不到合适的合作方，我们两人可暂时回到以前的状态，你继续做证券分析师，当然最好在上海的证券公司谋一份工作；我则继续到太华期货做居间人兼操盘手，等下次有机会我们兄弟俩再联袂出击。"

"别担心，陈老板的期货账户这个星期就会有起色的，到时他会回心转意。"东方俊再次宽慰韩子飞。

东方俊坚决做空有色金属，在大部分资金做空铜和锌的基础上，盘中再略做一些短线行情，陈老板的账户资金快速上涨，到12

月 6 日资金已达 125 万。

"如果陈老板不把 100 万转出,200 万的本金估计一个多星期就能回到 300 万,现在要用 100 万赚回 100 万相对要难一点,不过也会很快实现。"东方俊无奈却又自豪。

"期股争霸论坛"中的大部分信息都是二手的,只是唐雨秋的整合能力实在太好,把每个投资高手都展示得有血有肉、相当丰满,个中故事很是吸引人。论坛已经划分了 20 个高手讨论专区,其中有 20 世纪 90 年代就在股市叱咤风云的"何千万",还有期货市场新冒出来的明星、三个月创造 20 倍收益纪录的魏明。在大量"股神"、"期神"话题的刺激下,"期股争霸论坛"越来越活跃,大量的投资者对这些投资高手表示出极大的热情,崇拜、羡慕、欣赏、质疑、谩骂等各种声音此起彼伏。甚至还有人拨打留在论坛底部很不起眼的电话,找"论坛管理员",想和某位一年翻了 4 倍的股票高手认识,花钱拜其为师。

"韩总,我们的论坛现在越来越火爆了!"

"是啊,你挖掘高手的能力很强,还能把这些资料有条理地展示出来。其实绝大部分股民和期民都是怀着发财的梦想进入市场的,因此这些高手以及他们创造的财富神话足以让一个投资者憧憬、回味好一阵子,并且能激发他们赚钱的欲望。"

"昨天我发布了一个在上海的股票高手董风华的发家故事,其中有些资料和信息是我通过朋友打听后整理的,算是一手信息了,没想到短短 2 000 字的帖子,居然引起巨大的反响!"唐雨秋有点自豪。

"这个帖子已经有 500 个回复了，你一手创造了一个牛帖。我还发现一些其他的论坛还有博客在转这个帖子，看来只要是涉及相关高手的独家内容，便很容易吸引眼球。"

"我的尝试成功了！我再多整理几个独家的高手信息。"

"这是一种形式，既然已经成功了就可以继续下去。"韩子飞思考后，目光从电脑移开投向唐雨秋，充满着欣赏和鼓励，"一方面你可以再收集一两个这样的人物，我也可以把我在广州认识的几个民间高手拿出来说一说；另一方面，我想我们可以用更好的形式来展示一个高手更多、更深入的信息，比如我们找机会和某个高手见面，谈上两三个小时，针对这个高手什么时候进入股市或期市、什么时候开始赚钱、赚得最多的一次是多少钱、有没有失败过、最大的心酸事、投资的基本理念、操作的一些技巧，还有投资以外的兴趣爱好、生活态度等方面都可以深入了解。另外可能的话还可以让高手推荐近期市场的投资机会。"

"看来这事我们还能做大！"唐雨秋暗自佩服韩子飞总能比她想得更远一步，"那我现在就去把我以及我朋友能联系上的高手列一个清单。"

"好的，我这边也先整理两个广州的股票高手。其中一个，两年已经翻了七八倍了。"

韩子飞心想，"期股争霸论坛"按照现在的发展势头，不久以后就会具备一定的商业价值，到时应如何建立相应的赢利模式呢？

收盘后，东方俊神采飞扬地来到韩子飞的办公室。

"老韩，你的账户我又帮你做到 23 万了。"

"哦，最近行情这么好吗?"韩子飞有点惊讶，双击电脑桌面上的期货下单软件，"陈老板的现在多少了?"

"150万了，我说那个陈老板太傻了吧，要是不撤走100万，按照赢利比例，现在就不亏钱了。"东方俊愤愤然，"你要不给陈老板打个电话吧，把那100万再转回来，本金多了更容易赚钱。或者，转回50万也好，加满到200万。"

"你说得有道理。等你再赚回50万，就等于陈老板没亏钱了。那时我就让陈老板尽快到位公司的注册资金。"现在对韩子飞来说，最重要的是让老陈认可东方俊的能力，然后尽快把公司注册好。只有这样，才可能有后续的数千万资金进来。

2007年12月5日，中央经济工作会议提出，2008年将实施稳健的财政政策和从紧的货币政策。这是十年来中国首次实施从紧的货币政策，该声音发出后，投资者对市场资金供应越发担心，大盘的一波小反弹随之夭折。

2007年12月中上旬，不管大盘是涨是跌，中粮屯河和隆平高科的走势一直强于大盘，自3日买入中粮屯河之后，韩子飞在7日买入隆平高科。

账户资金回升，陈老板后悔莫及，又转回100万。东方俊则认定铜价还要下跌，加大仓位放空。

两个下单员经过为期两周的培训，做模拟单已经没有问题了。东方俊决定先让两个下单员到他办公室办公，刘佳妮操作韩子飞的账户，何冰则继续做模拟单，具体的下单指令由他盘中发出。

"老韩，现在下单员既然能派上用场了，我们可以多开发一些客户，要是有朋友有资金要投资，也可以开展一些合作，最低资金定在 10 万好了。"

"10 万倒是差不多，但那两个下单员暂时不能让她们做大的账户。不过，我想还是等公司注册好了再看看要不要拓展业务，公司的 500 万注册资金和老陈后续的数千万资金应该够了，到时先分配给两个下单员一点小资金也就可以了。"

"也行，这个你来定吧。"东方俊有点小失落，心想韩子飞做事太谨慎了。

"老韩，租这个办公室，买这些电脑，还有发工资啥的，你垫了不少钱吧。"东方俊走到办公室门口，又回过头，"我这边操作陈老板的账户还有你的账户，会有一点手续费返佣，到时全部给你吧，就算填补一些公司的开支。"

12 月 17 日，陈老板的账户已经做到 285 万。

"小韩，最近东方俊做得挺好。"陈老板坐在奔驰轿车的后座，舒服地靠在座椅上，一手拿着手机，一手搂着一个嗲里嗲气的年轻姑娘，"我今天要出差去香港一趟，差不多要二十四五号回来。"

"好的，那等你回来我们再把公司注册的事往前推一推，现在就差最后的环节了。"

"这样吧，等我回来再和你见个面，还有那个东方俊也一起再谈一次。我们争取春节前把公司弄好，正式运作起来。"

韩子飞和唐雨秋并排坐在办公室的小沙发上。

"我这几天和很多朋友都聊了聊，从不同角度了解了一些投资高手，最后觉得这三个人比较有价值，刚好又能得到他们的联系方式。"唐雨秋指着自己笔记本上列出的三个高手的名字，"其中两个是上海的，一个是杭州的。"

"你觉得如果我们打电话约见他们，哪个见面交流的可能性最大？"韩子飞拿起唐雨秋的笔记本，看到唐雨秋已在三个人的名字下面各自写了一些简单的介绍。

"这倒不好说，因为我和他们都不熟悉，有的只见过一面，只是通过朋友搞到了电话而已。"唐雨秋看着韩子飞，俏皮地笑了。

"我们约见肯定是以'期股争霸论坛'的名义，"韩子飞想了想，"可以这么跟他们说，我们论坛是国内比较活跃的投资论坛之一，专门为一些投资高手建立了讨论专区，之前已经为哪些高手建好了专区，现在也想帮他建一个，然后问他什么时候有时间见面聊一聊。"

"这样能行吗？"唐雨秋担心目前论坛的影响力还不够大。

"我们可以试一试，反正即使人家拒绝了我们也没损失。其实这么多高手已经建立了专区，而且部分高手的专区还很活跃，对新冒出来的投资高手还是有吸引力的，因为他们需要被认同，希望自己和一些已经成名的高手放在同一平台上。"韩子飞用坚定的目光鼓励唐雨秋，"你看这三个人中哪一个是后起之秀？"

"这个，孟泽，上海的，今年赚了一笔之后才慢慢出名的。"

孟泽办公的地点位于浦东商城路附近，靠近八佰伴，韩子飞和唐雨秋从东昌路地铁站出来后步行到孟泽办公的大楼下。这是一栋30多层的大厦，在大厦二层的楼体上有一块巨大的广告牌"财富之选——金安证券"。韩子飞心想，孟泽可能是在金安证券的大户室办公。两人进入大堂，从楼层指示图上看到整个 15 层和 16 层都是金安证券的办公区，而孟泽就在 1632 室。

两人站在门口，唐雨秋举手敲门之前，抬头看了一眼韩子飞，韩子飞向她点了点头。

"请进！"屋内传来一个洪亮的声音。唐雨秋推门而入，韩子飞紧随其后。

"您是孟泽吧！你好，我是唐雨秋。"唐雨秋向孟泽的办公桌走去。

"欢迎，唐小姐！"孟泽站起来离开座位，伸手和唐雨秋握手。"请坐吧。"把他们引向沙发后，孟泽泡了两杯绿茶，"请喝茶。"

"谢谢。"唐雨秋弓起身接过两杯茶，放在面前的茶几上，扬手介绍道，"这位是我们'期股争霸论坛'的负责人韩总。"

"你好，韩总！"孟泽把自己的椅子拖到茶几对面，与韩子飞握手示好。

"您好。"韩子飞看着面前这位身高 1.75 米以上略显消瘦的年轻小伙，估计他要比自己小好几岁，应该是 80 后。这位帅哥的眼睛不大，却非常锐利，鼻子很挺，头发有一点点天然卷，穿着一件灰色休闲西装和一条蓝色牛仔裤。

这间办公室有两张办公桌，孟泽的办公桌上有一台台式电脑的显示器、一台手提电脑，他对面的桌上则有三台台式电脑的显示器。两张办公桌边上是一面很大的玻璃窗，实际上这玻璃窗占了房间四面墙中的一面，因此房间内光线很好。门口进来的墙壁上挂着一块白板，白板上画了一个表格，大概有 20 行，里面写了一些股票代码，每个代码后面跟着"观察"、"等待时机买入"、"持有"、"卖出"等字样，几支黑色和红色的水笔躺在白板的底沿上。白板的对面是一个小书架，书架上的书不多，大部分是投资类的，还有一本醒目的《孙子兵法》。

　　书架边上，也就是韩子飞所坐沙发的旁边，还有一把吉他靠在墙角。

　　孟泽一开始说话似乎有所保留，或是太过腼腆，谈话间慢慢地感觉到韩子飞也是行家，并知道了他们的来意是为论坛的高手讨论区找新的素材，也就放开了。

　　从谈话中，韩子飞了解到孟泽是浙江湖州人，复旦大学刚毕业一年多，在大二的时候就开始炒股，当时是先用自己的生活费做投资，赚了一点钱。在校园里传开后，又有一些同学来找他，于是就帮同学以及同学的父母理财，毕业的时候炒股的分红总共拿了三十几万。

　　毕业之后，孟泽想到证券公司工作，发现证券公司主要招聘的是业务员和分析师，想去公募基金没有资质，去私募基金又没有门路，于是就在学校附近租了一个小房间专职炒股。一开始还会顺便找找工作，后来看到同班的大部分同学上班的收入都不高，也就没了找工作的心。

　　现在孟泽待的这个房间是一个叫老孙的大户的，他和老孙在一个投资报告会上认识，两人聊得比较投缘，于是老孙给他50万试水，当时买了鹏博士（600804），结果两个月就赚了50%。后来老孙邀请他一起办公，过来的时候给了200万资金让他操作，目前已经累积到 600 多万。

　　孟泽自己的账户一开始钱比较少，毕业前后把所有的现金差不多 40 万全部投入股市，现在已经接近 500 万了。自己的账户能够在一年半的时间赚 10 倍多，孟泽认为一方面是赶上了牛市，另一方面则是自己选股选得好。这一期间，他主要选择了东北证券（000686）、鑫富药业（002019）和广济药业（000952）。

　　原本孟泽只是做自己的账户和老孙的账户，2007 年年中的时候，有一个客户自己找上门来，让他帮忙做一个 1 000 万的账户。据说这个客户和证券公司营业部的老总认识，让营业部老总推荐哪些人做得比较好，因为那个老总可以看到营业部所有账户的账单，就让客户去找孟泽。现在这个账户做到了 1 800 万左右，最近稍微回撤了一点。

　　说到投资理念和选股策略，孟泽说自己欣赏的是巴菲特的价值投资，主要通过信息分析和技术分析找到被低估的、盘子又不大的股票，通过观察择机买入并持有。因为这两年一直处在牛市，这些被低估的股票不可能永远被低估，所以只要时机选得好，一般买入后一两个月内就会上涨。而孟泽会一直持有，直到更有潜力、涨势更好的股票达到自己的买入标准，才会卖出一部分或全部卖出来购买新的股票。

　　孟泽选股还有一个原则，就是 ST 的股票一律不买，不管它能有多少个涨停板。他说自己选择鑫富药业是因为该上市公司收购竞争对手之后，有了产品定价权，产品价格的提高使得公司赢利能力大大提升，2007 年前三个季度的业绩升了近 20 倍。

　　另外，孟泽目前对权证也有一点兴趣，在用一点小钱尝试。做了两个月的权证后，他发现自己除了能够选出好股、中长线持有赚钱之外，对权证的日内短线似乎也有一点天赋，至少这两个月那笔小钱也翻了一番。

　　冬天的上海，白天特别短，还不到 6 点，天已经黑了下来，唐雨秋看到孟泽两次拿起手机看时间，估计他之后还有事情。看到韩子飞把笔记本翻过一页，还准备问下一个问题，她用脚轻轻地蹭了一下韩子飞，笑着问孟泽："这么年轻就有了很多财富，追你的女孩子肯定不少吧，今天是平安夜，晚上是不是早被预定了啊?"

　　孟泽眯起眼睛笑了："财富不算多吧，现在个人资产还没到千万呢！女朋友倒是有的，是我高中同学，她浙大毕业后先在杭州工作，现在也到上海了，在一家房地产公司负责营销策划。其实她不知道我挣了多少钱，只知道我整天不务正业炒点股票、赚点小钱。今天是平安夜，所以我要早点回去陪她了。"

　　从孟泽的办公室出来，唐雨秋略微感叹一下自己和孟泽的落差后，就开始向韩子飞分析孟泽的女朋友大概是个怎样的人，他们两人是不是青梅竹马型的，还有他们今天晚上会不会去看电影……

　　韩子飞则是陷入了沉思，他正在回味这位 80 后男孩，这位腼腆却敢于拼搏的男孩，这位如此年轻财富就远在他之上的男孩，这位聪明又懂得把握机会的男孩……再想想自己现在的处境，真是有着天壤之别啊！

　　出了大楼，韩子飞径直往地铁站的方向走去。唐雨秋跟在后面低着头走路，走了一段，唐雨秋停了下来，站在路边，看着韩子飞的背影，一米、两米、三米、五米、十米……

"韩子飞，你站住！"唐雨秋喊了起来。

韩子飞站住，回头一看，唐雨秋正红着脸、嘟着嘴站着，也不知道发生了什么事，赶紧向她走去。

"都忙了一天了，你不请人家吃饭啊！"唐雨秋轻轻地甩了一下手提包。

是啊！能见到孟泽是唐雨秋的功劳，今天她又不停地记录了两个多小时，满满的七八页纸，想想手都酸了。

"实在对不起，实在对不起！"韩子飞急忙道歉，"大小姐今天想吃什么、玩什么，尽管说，我陪吃、陪玩还陪骂。"

"陪吃、陪玩就行了，陪骂我可不敢，你是老板，我是伙计！"

在唐雨秋的带领下，两人来到必胜客，服务员推荐了平安夜情侣套餐，唐雨秋看了一下菜单就要了这份套餐。今天的必胜客装扮得相当温馨，除了常规的圣诞树、柔光灯饰，还有"圣诞老人"带领着两个"燕尾服"在吹萨克斯。

如此场景很久没有见到了，韩子飞暂时忘却了工作上的烦恼，看着对面这位面色微红，正欢快地轻舞刀叉，在餐厅故意调暗的灯光下妩媚得恰如其分的女孩，韩子飞感受到一种久违的温馨。

晚饭之后，两人走出商场，韩子飞看到八佰伴门口电影售票处贴着《蓝莓之夜》的电影海报，于是很自然地问了一句："想看电影吗？"

"《蓝莓之夜》，我期待了很久了！"唐雨秋并不想这么早就回去，正想着两人去哪里，韩子飞这一问恰好中了她的下怀。

《蓝莓之夜》中的主人公延续了王家卫以往电影中主人公的典

型性格：沉溺忧伤、孤独茫然、不愿完全打开自己的心灵、对爱情充满向往却无能为力……

当然，最让人难以忘记的就是那"蓝莓之吻"。

看完电影出来，带着哀伤和遐想的人群在拥挤中离去，唐雨秋和韩子飞跟随着一对对亲密的情侣走进电梯，走出商场。

冬夜的冷风吹来，韩子飞从暖意中清醒过来，他招手打车，唐雨秋跟在身后。

坐上出租车，韩子飞让司机先送唐雨秋回家然后再去新华路。出租车的后座，唐雨秋异常安静，一分钟后，她悄悄地靠在韩子飞的肩头，双手挽住他的胳膊。

女孩特有的体香感染着韩子飞，他想伸手拥抱身边这位美丽、善良、活泼、善解人意的女孩，他想用双手抬起女孩的下巴，给她一个"蓝莓之吻"，他甚至想就让她这样靠着、一直靠着……车子永不停下就好了，可是心里的另一个声音让他犹豫了。

出租车转眼就到了康平路上唐雨秋住的小区门口，唐雨秋下车时回头腼腆地对韩子飞说："韩哥，明天见哦。"

出租车司机似乎不解人意，放下唐雨秋就马上开走了，韩子飞把头靠近车窗往后看去，唐雨秋站在上海冬夜的朦胧路灯下，显得格外动人。

这是唐雨秋第一次叫他"韩哥"，也是韩子飞两年来第一次不是在梦里听到女孩子叫他"韩哥"。这一声"韩哥"让韩子飞的心脏似乎变成了两半，一半是甜蜜，而另一半则是撕裂般的隐痛。

秋日的傍晚，草原茫茫，雪儿骑着马在金黄色的阳光下奔跑，大漠的风吹动她的长发和衣襟，宛若仙女。雪儿回头张望，露出灿烂的笑容。

韩子飞迎着雪儿的笑容，快马加鞭赶了上来。

两个人骑马并肩而行。草原的落日温暖而美丽，在空旷的天空和大地的交界处，一轮红日映红了周边的云彩，温柔的光照耀在两张充满爱意的脸上。

突然，雪儿的脸变成了唐雨秋的模样，韩子飞一惊，又变回雪儿，再仔细一看，却又是唐雨秋。

······

投资观小结

东方俊：

独创的交易方法不能轻易告诉别人。

韩子飞：

金融投资的黄金 10 年甚至黄金 20 年刚刚开启。

期货的赢利模式也必须自己研究。

陈老板：

投资方面找合作伙伴，绝不能找个定时炸弹。

如果要赌，就用少一点的钱去赌。

操盘手行还是不行，能不能赚钱是唯一标准。

论坛的网友：

对"股神"和"期神"，可以崇拜、羡慕、欣赏、质疑和谩骂。

如果真的认可某个高手，愿意花钱拜其为师。

孟泽：

推崇巴菲特的价值投资理念。

通过信息分析和技术分析找到被低估的、盘子又不大的股票，通过观察择机买入并持有。

ST的股票一律不买，不管它能有多少个涨停板。

个人资产没有到千万，财富就不算多。

第五章 落 魄

悲叹有余哀

——曹植《七哀》

2007 年 12 月 19 日、20 日、21 日、24 日期货铜价连续大涨 4
天，东方俊死死不肯平仓，陈老板的账户出现巨大浮亏。12 月 25
日期货铜价如果继续高开……

圣诞节的早上，略带黑眼圈的唐雨秋匆匆忙忙跑进公司，这是
她上班一个多月来第一次迟到，以往她都是第一个到公司的。略作
休整后，唐雨秋拿起笔记本，敲开韩子飞办公室的门。

"雨秋，昨天谢谢你。"

听到韩子飞叫自己"雨秋"，唐雨秋顿时红了脸，忐忑的心情
却一下子好了起来，整个人的精神也从失眠的萎靡中被唤醒。"昨
天孟泽的访谈记录，我争取今天下午 3 点前整理完，然后你再修改
修改，我们最好在下班前把这个作为独家信息在论坛上发布出来。"

"好的，那辛苦你了。"韩子飞很需要唐雨秋这样的帮手，"我
们用这种形式认识、熟悉一些股票和期货的投资高手，其实是在整

合稀缺的赢利资源。当这些资源整合得比较充分时，就可以给我们带来额外的甚至意想不到的收获。以后陈老板的资金或其他的资金就不用只由我和东方俊来操盘，可以交给更有能力的人或是和我们的交易风格互补的人操作，这样，整体资金的收益会更好，而我们只要做好资金的管理和风险控制就 OK 了！"

韩子飞思考着自己将来的出路或许是管理型的私募基金经理。

下午 1 点半，韩子飞就收到了唐雨秋发过来的整理文件，标题是《80 后民间高手孟泽，一年半 11 倍的股市传奇》。文章中先是孟泽的简介，然后是编者对他的总体感悟，主体则是当天访谈内容的整理。整篇文章 8 000 多字，从经历到现状、从投资理念到具体的选股、从目前的财富级别到将来的人生梦想、从日常生活到感情世界，内容丰富、全面、有条理，把一个活生生的孟泽展示了出来，其文笔不在那些所谓的"知名财经记者"之下。

韩子飞一口气看完唐雨秋写的文章，仿佛又重温了一遍孟泽传奇的故事，他觉得连自己都被吸引了，应该能引起其他投资者的共鸣。

下午不到 3 点东方俊就从办公室出来了，看到唐雨秋也没打招呼，拎着包走了。

唐雨秋走进东方俊的办公室，看到何冰和刘佳妮在说笑，便问道："今天俊总怎么这么早就走了？"

两个小姑娘一看到唐雨秋，马上就安静下来，拿起鼠标，假装在做事。

刘佳妮一脸无辜地说："这几天俊总只是让我们做模拟单，实盘的单子都是他自己在做，韩总的账户他也收回去自己做了。"

"今天俊总一整天都没和我们说过一句话。"何冰补充道。

采访孟泽的文章在论坛发出来不到 3 小时，就有将近 100 个回帖，韩子飞感觉独家高手的访谈这条路应该可以走下去。这样一来，不但论坛可以火爆起来，其他方面的收益肯定也会有的。

"今天是圣诞节，一起吃晚饭吧。"唐雨秋收到这条短信，歪着头甜蜜了一刻。不过很不巧，她今天没空："我外婆今天刚好出院，我得去医院，这次我记下了，下回你加倍请我吧！"

虽然圣诞节要独自过了，但韩子飞今天心情大爽，他觉得自己找到了一条既能提高自己又能提高公司实力，并且可以逐步发展的长远之路。

MOB 健身会所，韩子飞好久没来了，每个会员都像他这样一个月只来两三次，健身房肯定会赚疯的。今天健身教练"老大"刚好当班，看到韩子飞进来，向他点头打招呼。

韩子飞拿起两个哑铃练习肩部的肌肉，"老大"看到他的动作很不标准，于是过去帮他矫正。

"老大，最近股票做得如何？持有哪几只？"韩子飞趁机问他。

"我啊……目前持有两三只医药股，比如广州药业（600332）。""老大"并不忌讳和会员谈论股票。

"这只股票盘整了一段时间后，最近涨得不错啊！"韩子飞觉得"老大"的选股能力不错，"那你对之后的行情怎么看？"

"我觉得主要看大盘吧，绝大部分的股票都是跟着大盘走的。"

"老大"帮韩子飞调整好姿势，示意他再做一组，"其实具体会怎么走我也不知道，如果这一轮的反弹夭折了，我就把股票全卖了，空仓过年，心里还踏实一些。"

"那你……明年还打算再进的吧?"韩子飞喘着粗气，练习的动作一旦标准了，就会比较吃力。

"明年再看吧，至少股市里的钱大部分会拿出来，因为我明年或许会买套房子，我的小孩上大学了，该准备一下了。""老大"笑着轻轻叹了一口气，"现在房价越来越高，早知道就早点买了。"

早上 7 点 30 分，韩子飞正在卫生间洗脸，手机响起。

谁啊? 这么早! 韩子飞放下毛巾，走进房间拿起手机一看，是陈老板。

"老陈啊，这么早!"韩子飞有点奇怪。

"东方俊那小子找死啊!"电话的那一头，陈老板不耐烦地咆哮起来，"前几天我在香港，本想打开账户看看，结果密码总是不对。昨天晚上我从香港回来，朋友告诉我可以用保证金监控中心的账号登陆去看账户里有多少钱。"

"对。"韩子飞应了一声，心中有种不祥的预感。

"结果我登陆一看，里面只剩不到 50 万了!"陈老板几乎谩骂起来，"东方俊竟敢随便改我账户的密码，改完后又乱做一通，现在亏成这样了，你说怎么办? 他要是不赔给我，老子要他好看!"

韩子飞心中一凉，呆呆地站着，后悔、自责和悲愤涌上心来。

"小韩，你也真是的，怎么介绍这么一个人给我。"陈老板转过来针对韩子飞，"现在我对一起开公司一点儿兴趣也没有了，你最好早点找到东方俊，我这边没留他的电话号码。你让他给个说法，把该赔我的钱赔给我，上次我们说好的，最多亏20％，现在都他妈亏多少了！"

韩子飞打电话给东方俊，手机关机。

走进办公室，韩子飞输入自己期货账户的密码，结果也显示密码错误，于是立刻打开保证金监控中心的账户，发现里面只有11万多了。他仰头靠在椅子上，深深地叹了一口气，眼睛看着天花板发呆。

半个小时后，东方俊的手机还是关机，于是韩子飞拨通了白灵的电话。

"韩子飞，怎么想到给我打电话啊！"白灵正在会议室和同事讨论一个楼盘的广告语，她推开会议室大门，走了出来。

"东方的手机关机了，我有事找他，没找到就只好打给你了。"韩子飞克制住自己的情绪，尽量平静地说。

"昨天他回家比较早，今天早上也是正常时间去上班的，他还没到公司吗？"白灵眨眼想了想，"你有重要的事情的话，可以和我说，我等一下打他电话试试，或者我晚上和他说。"

"呃，也没什么重要的事。你联系上他了就让他给我打个电话。"

"好的。我联系上了一定第一时间和他说。"

"对了，你家的地址是浦东哪里？"韩子飞突然想如果再联系不上，也就只能上门去找了。

"浦建路的上海绿城，你还没来过我家，周末要不要过来参观指导一下？"

"好呀，到时我们再约。"韩子飞清楚东方俊是不可能把做亏陈老板账户的事情告诉白灵的。

"对不起，您拨打的电话已关机。"白灵挂了韩子飞的电话，打给东方俊，也是关机。

整个上午韩子飞都在煎熬中度过，他已没有任何情绪工作。当年真诚的东方俊，为何变得如此虚伪？当年敢作敢当的东方俊，为何变得如此胆小不负责任？大学时两人一起恶作剧，一起为别人打抱不平，这些情景还历历在目，东方啊，这些年在你身上到底发生了什么？你是一走了之了，陈老板那边怎么安抚？公司下一步该怎么走？你倒是用陈老板的钱，赌赢了分钱，赌输了跑路，而我韩子飞岂不是白来上海了？枉我这么多年来一直把你当兄弟！

说实话韩子飞有些怨恨东方俊，若不是东方俊，上海的投资公司恐怕早就成立了；他也怨恨自己，若不是自己推荐了东方俊，陈老板也不会亏那么多钱，也不至于弄得连自己都不再被陈老板信任。

中午，唐雨秋兴奋地向韩子飞报告了好消息："采访孟泽的文章在论坛发出来后，不到一天时间，已经被点击了1万多次，回复帖超过500个，被几十个论坛、网站或博客转载。另外，还有朋友打电话给我问起这件事，说是想和孟泽认识认识。所以，我要尽快联系第二个、第三个，让论坛保持热度！"

韩子飞面无表情地答了一句："知道了，辛苦了。"

唐雨秋不解地退了出去。

韩子飞一个人待在办公室里，突然感觉到无名的失落，他走到窗前，从18楼向外望去，繁华的上海高楼林立，而他似乎听到了黄浦江的嘲笑声。

城市沦陷　江水依旧

一梦如秋。

和所有离家的孩子一样，

我

并非无所求！

我的城市沦陷　江水依旧。

18楼的天空，

蓝色的玻璃窗，

沾染无名的荒谬。

挽留这个城市，

目光和月光一样持久。

沿着河流和高楼的信仰，

害怕走丢，

痴情的杨柳。

只是我的城市沦陷　而江水依旧。

"老陈，我想今天下午去昆山找你谈谈。"不管最终能不能合作，有些事韩子飞总要和陈老板谈谈清楚，毕竟是朋友。

"可以啊，你过来吧。"陈老板似乎心情平静了很多，"你大概什么时候到，我让老贾去接你一下。"

"我现在从公司出发去火车站，大约下午3点能到昆山。"

韩子飞坐在靠窗的位置上，看着窗外的风景不断后退，然后消失，新的风景又进入眼帘，再消失。身边的乘客们有说有笑，韩子飞心想：距离上次去昆山还不到两个月，这次过去恐怕已是物是人非！

手机响了起来，东方俊发来一条短信：老韩，不好意思，陈老板的账户我没做好，公司我先不参与了，保重。

韩子飞看完短信马上回电话过去，还是关机，只好回短信：东方，有时间我们见面聊一下。

陈老板的态度和早上判若两人，他还是很热情地接待韩子飞，还是让他坐在上次那张很软的沙发上，还是喝上次一样口味的龙井茶。

"老陈，东方俊的事情，实在不好意思……"

"不说这个了！"陈老板打断韩子飞，脸上堆出一些笑容，"今天我们就当是朋友聚会，东方俊的事情今天不谈了，公司的事情也不谈。你只要把东方俊的电话和地址给我，我和他的事情，我自己找时间处理。"

"这是他的手机号码，不过已经打不通了。"韩子飞拿起茶几上的一本产品介绍手册，一看是陈老板公司的，就把东方俊的手机号码写在封面上递给陈老板。

"东方俊家的地址我不清楚，我也是刚到上海不久，还没去过他家。"韩子飞心想东方俊家的地址不能告诉陈老板，免得连累到白灵。

陈老板接过手册，看了一眼，随手丢在自己的办公桌上："怎么样，今天就不回上海了吧，我们等一下一起去吃个饭、泡个澡。哈哈。"

"呃，这个再看吧。"韩子飞突然不能适应陈老板的热情，"投资公司的事情，我们是不是再商量一下。"

"这个不用商量了，我已经决定不再参与投资公司。"陈老板还是笑着，"不过，我们还是朋友，你来昆山我还是和以前一样接待。"

其实韩子飞已经有了心理准备，听到陈老板这样说，更不好意思再提合作投资公司之事。但毕竟他已经垫了 20 万到公司，总希望能挽回一些。"公司前期租房子、买电脑和办公设备，我花了一点钱……"

"这个，我也帮你算过了。"陈老板再次打断韩子飞，"房租加那些设备大约 20 万吧？"

"是的。"

"你看这样行不行，我今天给你 10 万现金，就当那房租是我出的，算我的损失，而那些电脑和办公设备算你的，反正你还能用。"陈老板转身回到自己的办公桌，打开抽屉，拿出 10 万现金，放在茶几上。

陈老板吸了一口烟，眯着眼睛微笑着。

韩子飞心中暖意顿起，他知道如果陈老板不给他这 10 万他也没办法，毕竟公司没有办成主要的责任是在自己这边。他低下头，把钱收进包里，闭上眼睛，叹了口气。然后抬起头，抿嘴笑了笑，"老陈，谢谢你！"

韩子飞没有留在昆山吃饭，他觉得自己没有脸面再接受陈老板的款待。结识了才半年的陈老板，能做到如此，也真是义气。相反，十几年的兄弟难道就不知道我这样的惨境吗？逃避到哪里才能逃掉责任呢？韩子非很想知道这个答案。

东方俊回到家，一股炒鸡蛋的香味从厨房飘来。

白灵听到开门的动静，回头看了一眼："东方啊，今天你手机怎么关机了，韩子飞打电话找你呢。"

"哦，我手机没电了。"东方俊弯腰脱掉皮鞋，换上拖鞋，"他有没有说找我什么事？"

"也没说什么事，不过我感觉他挺急的。"白灵边炒菜边说。

"我现在就给他回一个电话过去吧。"东方俊把电脑包放在沙发上，掏出手机换了一块电池，到阳台上假装打电话。

"好的，好的，行，那你保重。"东方俊走回客厅，故意让白灵听到这句话。

"韩子飞那边怎么了？"白灵把韭菜炒鸡蛋放到餐桌上。

"合作开投资公司的事情，昆山的老板可能不参与了，他叫我暂时也退出来，以后有机会再合作。"东方俊一脸惋惜。

"真是可惜了，韩大才子可能白来一趟上海了。你看如果他有什么需要帮助的，我们就尽量帮帮他。"

"那还用说，我和他是兄弟！"东方俊随口应了一句。不过，很快他就心虚了，往昔兄弟俩共同进退的画面掠过脑海，东方俊突然有些茫然和自责。愣了几秒。东方俊走到餐厅，用筷子夹起一块鸡蛋尝了一口，"老婆的手艺又进步了！"

"是吗？"白灵开心地笑了，"韩子飞还说最近要到我们家来一趟，我想他来上海也没到过我们家，要不周末叫他过来？"

"不要，不要！"东方俊有点心急了，"我估计老韩他最近正郁闷呢，过段时间，等他平静再约他。你也不用给他打电话，免得他觉得你在可怜他。具体的安慰工作就交给你老公来执行吧！"

"好吧。"白灵转身又走进了厨房。

吃完晚饭，白灵依偎着东方俊坐在沙发上看电视。

东方俊拿起遥控器，把声音设为静音，然后从身边的电脑包里拿出他请人精心炮制的账本。

"老婆，这是贸易公司今年的账本。"东方俊微笑而诚恳地看着白灵，"我让财务提前做出来了。"

白灵翻了翻账本，看不懂里面密密麻麻的数字。

东方俊翻到最重要的一页，指着一个数字："到今天毛利有 80 万了，多亏你爸爸借了 200 万，后面的生意比较顺利，才有这些利润。"

"那不错啊。"白灵合上账本，抱紧东方俊："其实，赚多赚少都无所谓，老公不用太辛苦，反正我们也不缺钱。"

韩子飞回到上海，没有食欲，于是在一个小摊上买了几片盗版光碟，挑的都是喜剧片。浑浑噩噩地看了五六个小时，突然感觉肚子饿了。

午夜过后，饭店都已关门，幸好定西路的沙县小吃还在营业，韩子飞猛吃了一顿，打了几个饱嗝，付账回家。

新华路的法国梧桐已经褪完了树叶，在月光和路灯下显得十分凄美，而冬天的寒冷更是穿过这梧桐树的枝丫侵袭韩子飞。

他需要倾泄。第二天上午，韩子飞找唐雨秋长谈了一个多小时。

"韩哥，你不用气馁。"唐雨秋听完，完全能感觉到韩子飞现在的压力有多大，"陈老板的资金虽然无法到位了，但我们也不算走投无路，现在'期股争霸论坛'已经很有成效了，相信继续做下去，我们会找到论坛的赢利模式的。"

"单靠论坛还是不行，我们没有实力烧钱去做一个论坛，等它收获的时候，我们已经倒下了。"韩子飞还是提不起劲来。

"如果资金方面有困难，我们就换一个小一点的办公室，甚至商住两用的房子都可以。"唐雨秋下定决心要帮助面前这位有点失落的男人，"我可以不要工资，我们一起做一年，真的失败了我们再放弃也不迟。"

"我私人也可支持你，义乌家里还算有点钱，我向家里借100万，不管你是用来注册公司，还是用来自己理财或交给高手理财，总之只要我们规划得好、执行得好，肯定能撑下去。"

韩子飞不禁有点动容，一个女孩子为自己下这么大的决心，自己一个大男人还能怎么样呢？

"这样吧，你出10万我出10万，各占50％的股份，组建一个小公司来运作'期股争霸论坛'，公司的房租和你的工资从公司的20万里面走，我不拿工资。"韩子飞顿了顿，"这里的办公室可以租到4月份，我们等租期到了再去租一个小的，在此之前公司不需要支付房租费用。"

"好的呀。"唐雨秋本想自己也不拿工资，但看到韩子飞有了一点斗志，就顺着他说，"就按你说的去做，但是分红权你拿70％，我30%，因为公司是你主要经营的。另外我这边还有90万，你可以用来作为公司的股票或期货的自营资金。赢利了算公司的，亏了就算了。"

"分红权我60%，你40%吧，"韩子飞看到唐雨秋坚定的眼神，更决定要搏一搏，"我再加10万到你另外的90万中，组成100万，先由我来投资股票。最近我在研究几套期货的交易方法，我会先用模拟单测试，如果期货也能实现赢利了，我们也可以做点期货。到时如果亏了，就先亏我的10万；如果赚了，我们就按公司的股份比例来算，一人一半。"

"好的，韩哥，就按你说的执行吧。"

"不过现在东方俊不做了，我们就不需要下单员了。"韩子飞轻轻地咬了咬牙，"你和刘佳妮、何冰她们说一下，明天就不用来上班了，工资算到这个月底，然后再多补偿一个月。"

"也只能这样了。"唐雨秋也很无奈。

灵感多来自于感伤，这几天情绪的大幅波折让韩子飞更加频繁地泡在"中华诗歌论坛"。他今天又在里面写下一首诗：

逃　　离

午夜过后，

没有鬼魅飘游。

这方空气，

冷清得只剩下路灯和我。

迷失在草地上的影子，

沉默不语。

冬天的树木，

飘落轮回中最后一片叶子，

光着脚丫互相对望。

繁盛已远去，

新生尚遥远，

荒芜仍将继续延续。

孤单是一个人的错，

与旁人无关。

思想涌出肉体，

欲欢歌艳舞，

却冰冷在冬夜的零度以下。

韩子飞用100万资金买了60万的中粮屯河、40万的隆平高科，另外重点关注盘江股份（600395）、中国中期（000996）、界龙实业（600836）等股票。同时，韩子飞也不认为期货有那么难，他看了多本技术分析的书之后，似乎已经有了期货赢利的思路，他觉得做期货应该"先胜而后求战"，于是开始研究和论证几套期货交易系统。

一个星期后，韩子飞研究出两套期货交易方法：一套中长线，一套短线。短线交易系统虽然理论上可以有不错的利润，但是由于自己手不够快、执行不够坚决，连做模拟单都很难实现赢利，只好暂时作罢，等将来弄懂了期货的程序化交易再捡起来。而中长线交易系统则在历史数据的验证和模拟单的初步测试中都表现出不错的效果。

两个星期后，唐雨秋跑完了注册公司的所有环节，20 万元注册的新公司名叫"期股争霸网络信息有限公司"。

　　"股市不可能永远好下去，虽然熊市里也有牛股，但想在熊市里找出牛股非常不容易，而配置一部分期货就能解决这个问题。"

　　"那我们就在期货上多做些探索，实盘也可以尽快做起来。"唐雨秋全力支持韩子飞。

　　"这两个星期，股票我们赚了十几万，我会先卖掉一部分股票，拿出 10 万资金用于期货的实盘操作，看看我的中长线交易系统是否可行。"韩子飞对自己的期货交易水平还是信心不足，"另外，你尽快落实下一个高手访谈，最好是期货方面的高手，我们可以顺便取取经。"

　　2008 年 1 月 10 日，一场 50 年不遇的暴雪袭击我国南方的十一个省市，市场恐慌心理再次燃起。2008 年 1 月中，大盘反弹到 5 500 多点之后又扭头向下，韩子飞继续持有中粮屯河，减仓部分隆平高科，并开始投入大豆期货交易。

　　鉴于股市加速下跌，韩子飞手上的股票质地不错但也免不了利润的暂时回吐和震荡幅度的加大。股指期货的讨论总是雷声大雨点小，短期是不可能推出了，没有做空机制的股市一旦遇到熊市，即使手里拿着牛股也是胆战心惊。韩子飞开始花更多时间在期货各品种的趋势研究和尝试性的操作上，他一开始不敢做价格太高的金属类产品，而是选择了趋势比较明显的、占用资金比较少的大豆期货。根据自己制定的趋势跟踪型中长线交易系统，他买入二手大豆，占用的保证金不到 1 万元，第二天浮赢 1 700 多元，没想到第三天就反亏 2 000 元，第四天稍微回来一点，第五天浮亏至 3 000 元左右时根据规则平仓出场。初战失利。

更没想到的是，那天止损平仓几乎是在最低点附近，后来期货大豆价又一路上涨，韩子飞很想重新追多单进去，但自己交易系统的规则白纸黑字贴在电脑面前，根据规则进场点还没有到，只好默默忍受。

上海至杭州的动车组上，韩子飞和唐雨秋并肩而坐。对面的一位 50 多岁的阿姨和一位 30 多岁的白领男士一路上都在用上海话争论股市的涨跌。那位阿姨认为最近遇到雪灾，股市可能要继续下跌，而白领男士则以北京奥运会这么大的"利好"认为股市不可能大跌，创新高只是时间问题。他们的争论吸引了其他乘客的注意，边上的几个乘客也时不时地插上几句，表示赞同或反对某一方的观点。

股民们对股市的争论已无法吸引韩子飞的注意，倒是列车广播中反复播放的"迎世博专题广播"让韩子飞陷入了联想。一贯以展示工业成果和技术进步为宗旨的世博会，在服务业日益兴盛、制造业前景越发暗淡的年代，在网络、金融和环保占领话语体系的年代，在有着五千年文明史和巨大经济成果的中国，在定位成全球金融中心的上海，它将会以怎样的姿态铺将开来，展示在世人面前？

1 小时 18 分后，列车已从上海抵达杭州。两人出火车站乘坐出租车上了中河高架，不到 20 分钟就到了湖墅南路和潮王路交叉口的两岸咖啡。

易天已坐在一个靠窗的位置等候，接到唐雨秋的电话，他便起身去门口迎接。

唐雨秋看到一个脸型方正、身材魁梧，穿着深色格子毛衣的中年男子听着手机走向他们，于是就挥手示意。

走近了，唐雨秋看到易天的眼睛有点凹，眉毛很浓，鼻子有一点点发红，看上去大约 50 岁，整个人散发出一种令人说不出来的霸气。

易天很健谈，三人坐下后，他从杭州的美景谈到美食又谈到美女，韩子飞好不容易才把话题转到正题上，算是简单了解了他的股市沉浮历程。

易天是绍兴人，中专毕业后在杭州的一家国有企业做会计，当时也算是铁饭碗了。20 世纪 90 年代初，刚有一点积蓄的易天炒认购证赚了几万块钱，发现股市赚钱的暴利效应之后，就辞掉了很多人都羡慕的工作，南下深圳专职炒股。

在深圳，易天接触的人几乎都是炒股票的，也有一些炒期货和外汇的，慢慢地在朋友的熏陶下他迷上了期货。那时他主要做国债期货，还有三夹板、螺纹钢、红小豆、绿豆等期货品种，因为庄家控盘很严重，多空两边的庄家又经常对战，那个年代的期货行情波动剧烈，大幅涨跌。

当时易天也不懂什么叫技术分析，就靠消息和感觉做交易，钱好赚也好亏。最多的时候他赚过 200 多万，但后来全部还给了市场。

说起大亏，易天曾有过三次爆仓，他戏称这是他期货人生的"三起三落"。第三次爆仓后，也就是在 1998 年，易天实在借不到钱了，就回到杭州重新工作。虽然平时要努力工作，但易天还是会经常关注期货行情，晚上看一些期货技术分析还有一些国外操盘手、投资高手生平故事的书。工作了三年后，通过省吃俭用，他又有了几万块本金，于是东山再起。

因为吸取了前面多次失败的经验教训，又有了一定的分析技术，易天2002年以后基本上就可以相对稳定地做交易了；虽然2003年一整年没有赚到钱，但也没亏；到了2004年，易天逐渐形成了自己的交易风格，有了一套相对完善的交易方法，他把这套方法叫作"验证式加仓交易系统"。

行情总是在收敛后发散，又在发散后收敛，最大的机会就在收敛结束、发散启动之时。易天的交易方法，就是在收敛期轻仓验证发散起点，然后重仓加码，在行情发散一段时间后，再主动减仓或全部平仓。也就是说，平时他要么不交易，要么轻仓尝试，一旦发现自己的节奏和市场的节奏对上了，就会迅速加仓，甚至会加到80%的仓位，然后在一波行情过后就主动减仓或全部平仓。一般这样的一波行情会持续3～10天，收益好的话很可能把本金翻一番。从2005年到2007年，易天完成了从10万到100万再到1 000万的财富跨越，一时间成为杭州乃至全国的期货明星，同时他参加了三次期货实盘大赛，拿了两个冠军、一个季军，成绩显赫。

韩子飞感觉易天的"验证式加仓交易系统"必然有它的赢利原理，但易天不可能把秘密武器全部说透，所以目前他还没能较好地理解，更谈不上如何具体去执行了。韩子飞心想：我还是先把不加仓的赢利模式研究透彻了，再去思考如何加减仓。

投资观小结

韩子飞：

一笔资金分给不同交易风格的人操作，会有更好的效果。

期货应该"先胜而后求战"。

没有做空机制的股市一旦遇到熊市，即使手里拿着牛股也会胆战心惊。

健身房的"老大"：

绝大部分的股票都跟着大盘走。

如果大盘反弹夭折，就应把股票全卖掉。

易天：

发现自己的节奏和市场的节奏对上了，迅速加仓。

一波行情过后主动减仓或全部平仓。

第六章　无　奈

无奈朝来寒雨晚来风

——李煜《相见欢》

转眼到了晚饭时间。"之江饭店是浙江省政府指定的会议和餐饮接待的酒店之一，在杭州算是比较有名的。"易天开着他的雷克萨斯带着唐雨秋和韩子飞前往莫干山路的之江饭店。

进了饭店，易天让服务员开了一个包房，点了七八道酒店的特色菜，又点了两瓶红酒。

唐雨秋推脱不会喝酒，但在易天的盛情之下也只好倒上一杯，只是喝了一口脸马上就红了。

"2008 年我最大的心愿就是能够生一个儿子。前妻在我最困难的时候离开了，我现在的夫人比我小十几岁，三年前我们有了女儿，非常可爱，但我心里一直想要个儿子，不然三代单传到我这辈就断了。"看到唐雨秋和韩子飞出双入对，易天开玩笑说，"你们是不是小情侣或小夫妻啊？"

韩子飞赶紧说，不是，不是。

唐雨秋心里却是另一番滋味，她先是有点甜蜜，后来就感觉不好意思了，害怕自己脸红被看到，就多喝了几口酒，她想也许这样可以让脸红有个合适的理由。

在易天的盛情劝酒之下，不知不觉唐雨秋喝了将近两杯红酒，她感觉头晕，就去了洗手间。

5分钟后，服务员跑了进来："唐小姐喝醉了，在女厕所趴在洗手台上起不来了。"

韩子飞连忙出去，看到两个女服务员搀着唐雨秋艰难地走向包厢，便上前去搀她："不会喝酒就少喝点，怎么醉得这么厉害！"

"我没事，只是走不稳了。"唐雨秋一看到韩子飞就靠了过去。

原本韩子飞还想坐火车赶回上海，唐雨秋一醉，只能在之江饭店住一晚了。

"实在不好意思，把唐小姐弄醉了。"易天办了一张房卡拿给韩子飞。韩子飞正要说应该办两张，但看到唐雨秋这副模样，估计整个晚上都要"服侍"这位大小姐了，想想一张房卡也够了。

离开的时候，易天拍了拍韩子飞的肩膀："哥们，大哥可是给你创造机会了！"

韩子飞背唐雨秋到房间，小心地放到床上，脱去她的高跟靴子，盖上被子，用热水帮她擦洗额头和嘴角。他看着脸色殷红、似睡非睡、似醒非醒的唐雨秋，听着她模糊的喃喃细语，突然有一种久违的幸福感，不禁抚摸起唐雨秋的长发。

而唐雨秋则有点头痛、有点迷糊、有点难受、有点感动，还有点偷着乐，她只是紧紧地抓着韩子飞的胳膊，握着他的右手一刻都不想松开。

后半夜，韩子飞靠在椅子上迷迷糊糊快睡着了。

唐雨秋慢慢恢复过来，睁开眼睛，看着疲惫的韩子飞，感受着他左手手心传来的温暖，鼓足勇气问："韩哥，你喜欢我吗？"

韩子飞猛地抬了一下头，睡意全消，轻声问道："你说什么？"

"你喜欢我吗？韩哥！"

韩子飞看着唐雨秋充满爱意的眼睛，温情地笑了笑："雨秋，我给你讲个故事吧。"

"嗯。"唐雨秋可爱地点点头。

"1996年9月，中山大学的'伶仃诗社'招收新的社员，一个叫韩子飞的年轻傻小子自认为是个诗人，于是他填写了加入诗社的表格。"

唐雨秋微笑着听着。

"就在他填写表格的时候，一位像你一样美丽、一样善良、一样可爱的女孩吸引了他，韩子飞记得那天女孩穿着深蓝色的连衣裙，就像大海深处的蓝、天空高处的蓝。"

唐雨秋收起了笑容，进一步抱紧韩子飞的胳膊。

"那个女孩叫蓝雪，她也去填写诗社新会员的表格，他们就这样认识了，一个中山大学计算机系的韩子飞，一个中山大学新闻系的蓝雪。"

"后来，他们经常一起参加诗社的活动，偶尔一起探讨各自写的诗歌。慢慢地他们互相爱慕起对方的气质、才华和心灵，但一直没有表白。"

唐雨秋一动不动地看着韩子飞，眼神中有些许担心，又有些许期待。

"直到有一天，在诗社活动的间隙，他无意中听到两位诗社的师兄在厕所聊天，其中一位扬言要追求蓝雪，并且已经写好了求爱诗。"

"一开始，韩子飞万念俱灰、痛苦万分，那天失眠到凌晨 4 点的时候，他爬起来在宿舍楼道的路灯下写下了他的求爱诗《我爱你，蓝色雪花》。"

我爱你，蓝色雪花

我爱你 蓝色雪花。

蓝色的天空 下起雪，

蓝色连衣裙 蓝色的雪花，

蓝色的梦 开在"伶仃诗社"第一天。

蓝色雪花，

你把风 染上纯洁，

浇灌我的杂乱不堪和幼稚顽强。

爱梦年华 意气风发，

蓝色雪花 你把所有璀璨陨落在你的脚下。

我爱你 蓝色雪花。

没有湖的湖边没有你，

只有爱的天空只有你。

那是蓝色雪花 飘过……

我的心回荡在蓝色雪花 飘过的每一个天涯。

我的天空下起雪，

那是蓝色的雪花。

"也许是这首《我爱你，蓝色雪花》打败了那位师兄的情诗，也许是蓝雪一直在等待这首诗，韩子飞终于获得了蓝雪的芳心。"

唐雨秋略带忧伤地看着韩子飞，她一直期待韩子飞能够跟她敞开心扉，但这内容不是她期待的。

"那是多么快乐的年华，那是多么幸福的八年时光，他们从校园走向社会，他们努力工作，然后有了自己的小窝。"

"可是……"

"就在 2005 年，蓝雪告诉韩子飞自己患有白血病。其实她早在 2003 年就发现了自己患有白血病，她去偷偷治疗，但是一直没有进展，也没有配对的干细胞捐献者。"

"2005 年 9 月，就在他们认识 9 周年的那天，蓝雪安静地睡去了。"

韩子飞双眼湿润了。他闭上眼睛深深地吸了一口气。

唐雨秋悄悄落下眼泪："韩哥，你还惦记着蓝雪，对吧？"

"也许吧。"

周一，韩子飞走进公司，唐雨秋用以往一样的眼神和笑容迎接他，似乎什么事都没有发生过。其实这正是韩子飞想看到的，工作和感情永远是两码事，他不想因为前天的事伤害了唐雨秋或是影响他们的工作。

这一点，唐雨秋做得非常好，韩子飞刚上 QQ，唐雨秋就把关于易天的文章发了过来。看来星期天唐雨秋在家里加班了，韩子飞也不敢怠慢，花一个小时仔细看完，并且做了一些细节的修改完善之后，就把文章在"期股争霸论坛"发布了。

虽然关注期货的人要比关注股票的人少很多，但是凭借论坛的强大人气，关于易天的帖子还是比较火爆。下午收盘后，易天还专门打电话给韩子飞道谢，还说以后双方可以有一些其他的合作，比如韩子飞介绍一些朋友的资金给易天操盘，账户赢利后获得的分红可以分给韩子飞一部分。看来这次易天的采访成果斐然。

在太华期货的大户室，无所事事的东方俊站在窗前，看着世纪大道来来往往的车流。自从陈老板和韩子飞把资金撤走之后，其他几个客户也陆陆续续停止了合作，向岳父借的 200 万资金被强平后则只剩下不到 3 000 块了。现在他唯一的收入，就是之前在太华期货做业务时开发的几个自主交易客户创造的一点点手续费佣金了，而这点钱连用于养车和吃饭都很紧张。

"下一步该怎么办呢？我为什么老是管不住自己的手呢？"东方俊用力闭上眼睛，用左手捏了捏紧锁的眉头。

这时，白灵的电话来了。

"灵儿，我等一下就下班了，你稍微等我一下。"

"我还没回家呢！今天要加班，我打电话给你是让你自己找个地方吃晚饭。"

"哦，那你几点回家呢？"东方俊无精打采地问道。

"估计要 10 点以后吧，这段时间房子开始难卖了，之前敞开了卖的开发商已经赚得盆满钵满，捂盘的开发商反而开始急了，开发商一急，我们策划公司就惨了。"白灵很无奈，她也很想早点回家。

"这都快过年了，还剥削员工。你们老板是不是生意不错啊！"东方俊突然有了另一层想法。

"也不知道为什么，我们老板的生意越来越好了，不管是房子好卖还是难卖，公司的业务一直在上升，人员也越来越多了。"

"那老婆加油干吧，争取年底拿个大红包!"

东方俊一页一页地翻着名片夹，记得去年他参加白灵公司的年会时，白灵的老板给过他名片的，那个个子不高、文质彬彬的"小男人"看来乘上中国房地产的快车——发达了!

曹万庭，对了，就是他，幸好名片还在。

在黄浦江北岸，外白渡桥边上，有一家历史韵味十足的饭店——浦江饭店，她的原名叫礼查饭店，始建于1846年（清·道光二十六年），据说是上海开埠以来全国第一家西商饭店。

黄浦江江水缓缓流淌，160多年来，多少伟大和渺小、繁华与沧桑在浦江饭店门口这条见证历史的江流中沉浮、消散……

建筑古典，而内部装修异常豪华的饭店中，两个男人面对面坐着。在这样的环境中，不管什么类别、什么性格、什么职业的男人都会不由自主地绅士起来。

"听白灵说曹总也在投资股票，最近做得怎样?"几经寒暄之后，东方俊进入正题。

"别提了，人家是2 000点、3 000点就进场了，我是5 000多点才买股票，感觉就是去托盘的。"曹万庭放下红酒杯，用小毛巾象征性地擦了擦嘴巴，"当时看我的朋友翻了一番、两番、三番的都有，觉得股票赚钱太容易了，于是就花了300万进入股市。"

果然是条大鱼! 东方俊心想。

"那现在，300万变成多少了?"东方俊明知故问。

"唉，我水平太差，大盘冲高的时候，我买的股票涨得比大盘少，现在跌了，跌得比大盘多。"曹万庭无奈又有点不情愿地说，"目前只有250万了。"

"我看中国的股市是没希望了，这一路跌下去，我看说不定要跌到3 000点，你还是早点出来比较好。"东方俊心中暗喜。

"房子我已经买了三四套了，现在好像也没有其他的投资渠道。"曹万庭看着东方俊，有点求助的感觉，"除了股市，还有什么其他东西可以投资的?"

"股市没啥好投资了，我看实物黄金什么的也不靠谱，在这通货膨胀的年代，为了防止资产贬值，我建议你还是做点期货!"

"期货?"

曹万庭第一个反应是期货风险太大，但转念一想，他马上想到了自己的一个浙江客户许老板，虽说许老板只是一个中小开发商，但身家早就突破10亿，他就在投资期货。浙江人对期货是有偏好的，甚至是狂热的，早在20世纪90年代，浙江的期货市场就涌现过很多"成王败寇"式的大人物。据曹万庭的了解，许老板不但自己做期货，还雇了一个专业的团队，五六个操盘手，租了个办公室专职做期货投资，据说已经连续3年获得80%以上的收益。

"是啊，只有期货才能在下跌的市场中赚钱! 甚至可以这么说，经济越萧条越好，最好发生个经济危机啥的。"东方俊开始眉飞色舞，"到时所有的资产都在贬值，只有期货能让你大赚一笔!"

"期货可以卖空我是知道的，我的一个朋友通过期货赚了大钱我也有所耳闻，可是很多人都说它风险比较大，这一点我有点担心。"曹万庭有点心动了，但是他还没有完全认可期货这个投资渠道。

"其实期货风险比股票还要小，"东方俊知道对面的这位"有钱人"已经慢慢入套了，"第一，期货可以做多做空，而股票不能，现在我们国家的股市没有融资融券业务也没有股指期货，跌的时候只能看着它跌；第二，期货是 T＋0 交易，就是说当天买进当天就可以平掉，如果行情不对跑得比较快，而股票则是 T＋1 交易，当天买进第二天才能卖掉，要是买进后大跌也只能眼睁睁看着资金缩水；第三，期货是有杠杆的，最多可以把资金放大 10 倍，但是这个杠杆是自己调节的，不是一定得放大 5 倍 10 倍，刚开始做仓位可以低一点，只放大 2 倍甚至不放大，那风险也就和股市差不多了；第四，股市有庄家这点大家都清楚，散户和庄家斗很难斗赢的，而期货是多空对决，有两个庄家——一个多头主力、一个空头主力，在股市我们必须和庄家博弈才能赚钱，而在期市我们可以冷眼看着多空双方打仗，只要跟着强的那个就行了。"

"你果然是期货方面的专家，那你觉得我那 250 万，拿多少出来做期货比较好？"

"如果我是你，我肯定会把股票全部卖掉，至于拿多少做期货，就看你自己想要多少回报、能够承担多少风险了。"东方俊不想表现得太着急，他希望把曹万庭一步一步引导到主动投资期货的道路上来。

"可是我不太懂期货，恐怕自己做要亏钱。"曹万庭又一次流露出求助的眼神。

"我倒是已经做了好几年的期货，最近几年每年都是赚钱的，好的时候半年就能翻一番。"东方俊觉得时机已经到了，"要不你去开一个期货的账户，拿个 100 万到 200 万出来，我来帮你操作。"

曹万庭很想把 250 万都拿给东方俊操作，但他毕竟是个聪明人，在他没有 80％以上信任一个人之前，绝不会用押注的形式做投资。

"要不这样，我先拿 50 万开个账户，你帮我做做看，如果做好了我就加到 100 万甚至 200 万。"

"行啊，50 万也够了，我先帮你做一两个月你就知道了。"虽然对 50 万这个小数目有点失望，但东方俊还是觉得第一步已经成功了。

曹万庭第二天就卖了 150 万的股票，去太华期货开了一个期货账户，先打入 50 万让东方俊操作，另外的 100 万则伺机而动。

东方俊带着曹万庭参观了太华期货的交易大厅、研究所、大型会议室，俨然是主人接待客人。

"对了，曹总，我帮你投资期货的事先不要让白灵知道，我虽然只是兼职做做，但她似乎不太喜欢我投资股票、期货之类的东西。"曹万庭离开时，东方俊如是叮嘱。

东方俊很看重这"来之不易"的 50 万，决心要把这个账户做好，不能有半点闪失。他吸取了之前的教训，调整了投资的风格，他变得小心翼翼，只做日内短线，严格控制仓位，坚决不隔夜。曹万庭的账户虽然资金增长比较慢，但是非常稳定，几乎没什么回撤，慢慢地增长到了 55 万。

2008 年 1 月下旬，大盘破位下跌，从 1 月 14 日到 2 月 1 日的

15 个交易日内，大盘从高点 5 522.78 到低点 4 195.75，共下跌 1 327.03 点，即 24.03%，其中 1 月 21 日和 1 月 22 日更是分别暴跌 5.14% 和 7.22%。春节前拉的那根大阳线似乎只是政府送给全国股民的新年礼物，幸好中粮屯河和隆平高科的表现远好于大盘。

雪灾的影响让股市大跌，却拉升了期货市场，交通的阻碍或中断导致农产品和一些其他商品的运输出现较大问题，直接导致相关商品价格上涨，同时雪灾也将造成南方众多省份较多农产品歉收，减产预期加速了农产品价格的上涨。春节前后，铜、橡胶、大豆、白糖……几乎所有的期货品种都处在上涨通道，趋势交易的财富机会扑面而来。

转眼，春节到了。2008 年初，丰年好大雪。

春节后大豆期货继续上涨，韩子飞根据自己设计的交易方法计算了买入点，一到点位他就再次买入。这次的行情非常好，买入后几乎是直线上升，账户从原来亏损 3 000 元，慢慢变成赢利 2 000 元、赢利 5 000 元、赢利 8 000 元，最后赢利突破了 1 万元。

本来韩子飞还在怀疑自己的中长线交易系统是否有效，现在他算是有了初步的信心，在赢利的过程中把头寸逐步从 10% 扩大到 40% 左右，并把白糖、燃油、棉花期货的多单也做了进去。账户的赢利很快就突破了 3 万。

3 月初，韩子飞请唐雨秋看了场电影，作为只有两名员工的"期股争霸网络信息有限公司"的庆功活动。因为在两个月时间里，公司的股市投资获得了 25% 以上的赢利，期货投资也获得了 30% 的赢利。更值得一提的是，同期大盘下跌接近 20%，韩子飞操作股票的赢利远远跑赢了大盘。

韩子飞信心满满，觉得用自己的技术分析方法，不管是投资股票还是期货都能取得不错的业绩，而唐雨秋又能把"期股争霸论坛"做得有声有色。他心想，公司以论坛整合资源、自我提高，以自营资金理财赢利的模式已经建立，下一步的主要工作将是论坛行业影响力的提升和赢利模式的摸索。而自己投资股票和期货的赢利模式已经建立，完全有把握赚到钱，同时也能帮别人赚到钱。现在应该可以有针对性地开拓外围朋友资金理财或基金管理，同时下单员招聘和外围操盘手合作也应纳入近两个月的计划中。

既然现在已有能力可以接受外围资金理财，那么最应该共享财富成长乐趣的应是最亲密的朋友。想到这点，韩子飞拨通了好友何涛的电话。

"兄弟啊！你回门楼啦？"何涛接起韩子飞打来的电话，以为他回无锡了。

"没呢，我在上海。你最近生意不错吧！"

"还行啊，现在给两个服装厂供货，订单挺稳定，每一米布的利润虽然薄一点，但是利润总量变大了。"

"去年你不是说拿点钱让我帮你投资股票或期货，"韩子飞听到何涛生意更好了，感觉更有理由让他拿点钱出来投资，"我这段时间股票和期货都做得不错，两个月赚了 25％以上，你要不拿个 50 万到 100 万，我帮你也赚一点。"

"你还真想着我啊！"

"好兄弟有钱一起赚！"

"不过我这边最近现金比较紧，因为服装厂是三个月结一次账的，就是说我一般要垫三个月的成本进去。"何涛倒是一直想做点金融投资，"要么等下个月我把账收上来，拿个 100 万给你做点投资？"

春节一过，大盘又跌了。曹万庭股市中剩下的 100 万，已经变成了 90 来万。而东方俊帮他做的 50 万则已经增长到 60 万了，股票亏 10％，而期货赚 20％，看来期货确实有一定的魅力。曹万庭很快作出了决策：专业的事应该让专业的人去做。于是他把股票全部卖掉，往期货账户中加入 140 万，凑成 200 万的账户，理财的事情全部交给东方俊处理，自己连股市行情都不看了。

东方俊一方面做得正得心应手，另一方面又得到了曹万庭的"高度认可"，顿时有了斗志。不过他还是时刻提醒自己要管住自己的手，因为曹万庭毕竟是白灵的老板，要是再出事，可就再也瞒不住了。

没过几天，曹万庭看到自己的账户已经达到 250 多万了。

"东方啊，你果然是'武林高手'啊！"

"武林高手？"东方俊有些不解。

"我的账户这么快就做到 250 万了，你还不是'武林高手'吗？哈哈！"

"噢，做得一般啦，我都没怎么敢隔夜持仓，不然收益会更高一些。"

"不错了，以后就按照你的方法尽情发挥吧！你说得太对了，这年头股票没法做了，还是期货好！"曹万庭遮掩不住内心的喜悦，他想自己在股市里亏的钱东方俊这么快就赚回来了，以后的收益绝对有前景。

"那要么我们按照行规，先做一次分红？"东方俊趁热打铁，刚好他正面临着"经济危机"，要是再没有现金流，搞不好又要向白灵开口要钱了。

"行规是怎样分的？你说个数吧！"

"一般的行规是操盘手分得赢利的30%，目前账户赢利60万，也就是说应该分18万。"

"要不我给你打20万过去吧，你把你的银行卡号发到我手机上。"曹万庭觉得操盘手分30%很合理，只要能赚钱，多分一点也无妨。

"还是18万吧，要不我从你期货账户上转出18万到你银行卡，然后你再存到我的银行账户？"

"不用了，期货账户里的钱就不动了，由你来操作吧，我另外拿18万打到你银行卡上。"

曹万庭这段时间忙着"伺候"杭州、南京、合肥、重庆、大连这几个地方的开发商，眼下对房地产盲目乐观已经不行了，瞎忽悠卖房子也不成了，体现策划公司真本事的时候到了。期货账户的操作他已经充分信任东方俊，就让他放手去做了。

又过了一个星期，曹万庭收到东方俊的短信：账户已到280万。他看了看同期股市的表现，还真是要感谢东方俊。

下班前，曹万庭叫白灵到办公室，给了她两万块的奖金，说是最近加班的辛苦钱。白灵又惊又喜，搞得一头雾水，她每个月的工资只有7 000多块，现在既不是逢年过节又没有拿下一个大的项目，老板居然一下子给两万块的奖金，这可是她从未遇到过的事。

这几天，雷恒在上海考察市场。这几年虽然在温州、台州生意发展不错，不过总想着哪一天可以挺进大上海，把事业做到中国最繁华的城市，到白领和中产阶层最多的地方赚钱。他花了一个多星期，走遍了上海每一个城区和郊区的核心地段，明察暗访了上百家影楼。结果发现上海的影楼竞争激烈、客户要求高、房租和人员成本比温州高出很多，而且没有特别好的外景拍摄地，除非是大品牌强势入驻，普通的影楼想进入很难有好的赢利。按目前的状况，如果单凭自己的实力，恐怕三五年内很难成功进驻上海滩。

唐雨秋正在租借的一室户小屋内上网，一会儿看看"期股争霸论坛"网友们的发帖和回帖，一会儿逛逛淘宝。

手机响了，一个陌生来电。

"喂，哪位？"唐雨秋小心翼翼地问道。

"是唐雨秋吗？"

"我是，您哪位？"

"我是雷恒啊！"

"雷恒？"唐雨秋在脑海深处搜索这个名字，真希望自己的脑子能像谷歌那样灵光。还好"雷恒"这个名字还不算遥远，她很快就对上了号："你怎么突然想起给老同学打电话了，玩什么惊喜啊？"

这些年，唐雨秋凡是接到几年都没联系的老同学的电话，80%以上都是来送"红色炸弹"的，心想这回应该也不例外。

"我刚好在上海，明天要回温州。"

"回温州？你现在在温州发展？"唐雨秋一头雾水。

"我目前在温州开影楼，这几天到上海出差，你现在有没有空，出来见个面，喝点东西？我明天一大早就走了。"

"可以啊！你在哪里？我过去找你。"高中毕业后，唐雨秋就没再见过雷恒，也没有正式联系过，不禁好奇当年那位学习刻苦、给老师和很多女生留下好印象的少年如今会变成什么样。

雷恒是唐雨秋的高中同学，爱好摄影，早在大学时代就在几家影楼做过兼职摄影师，毕业工作了一年就自己创业开影楼，如今在温州、台州开了 5 家连锁影楼。刚好碰上这年头年轻人结婚必拍婚纱照，因此生意相当火爆，着实发了一笔小财。算起来，雷恒所有资产加在一起也过千万了，账上的流动资金也始终保持在两三百万。

上海南站附近石龙路的两岸咖啡离雷恒住的酒店很近，于是两人约在那里见面。

时间可以把一个腼腆的少年雕琢成一个成熟的男人，这是唐雨秋看到雷恒后脑海中浮现的第一句话。

"你还没结婚，我的孩子都已经会打酱油了。"雷恒引用起网络上流行的语言。

"哪像你，自己做了老板，影楼都开了五六家了，当然可以成家生小孩了。而我还是一事无成、庸庸碌碌，不敢结婚，也没人要我啊！哈哈！"唐雨秋装出一副既羡慕又无奈的表情。

"少来了，你家里这么有钱还怕嫁不出去？"雷恒略带蔑视地看着唐雨秋，"我是一定要靠自己奋斗才能有饭吃，你不一样，一来可以靠父母，二来可以靠将来的老公，女人和男人是不一样的。"

"怎么不一样了？"唐雨秋最不喜欢听到别人说她靠父母之类的话。

"当然不一样了，男人本来就应该努力工作，而女人天生不应该忙碌，养家80％是男人的责任。"雷恒认真起来。

没想到这个男人如此传统，并如此可爱。

"既然上海不适合你开影楼，你就在温州、台州好好发展啰!"唐雨秋觉得雷恒没必要这么累，而且浙江的市场也很大，"其实，你做好了可以到嘉兴、湖州、宁波开分店，未必要到上海的。"

"你说的也有道理。只是目前我的现金流还算充裕，总想做点有挑战的事情。"雷恒显得有些深沉。

"那就让我们投资股票和期货吧!"唐雨秋想着韩子飞最近的投资业绩不错，就顺便提了一句。

"可以啊! 你们投资的业绩如何呢?"这几年自然形成的商人的敏锐性让雷恒觉得这是一个有机会但风险也比较大的市场。

"我们公司的韩总以前在证券公司做首席分析师，在金融投资方面算是专家了，最近两个月公司股票投资赚了25％，期货赚了30％，不错吧!"唐雨秋如实地"推销"了一把。

"那是很好的收益了! 我也搭个顺风车吧!"雷恒迅速地把这两个数字放大到一年、两年、五年，猛地吃了一惊：现在做任何生意都没这么好的利润!

"你真的要投?"唐雨秋反而有点信心不足了，"金融投资毕竟是有风险的，你可以先少投一点钱。"

"这几年我实在太忙，其实我一直想投资股票但没有时间去了解，更不用说操作了，结果错过了这波澜壮阔的大牛市，另外，我身边也有个朋友委托杭州的期货操盘手做期货投资，据说收益也很好，我算是彻底地错过这一轮'资产泡沫'了，现在你在做这一块，我当然放心拿出钱来投资了。"雷恒略带狡黠地笑了笑，"你总不至于忽悠老同学吧！"

"我们现在都是在操作自己的钱，要赚一起赚，要亏一起亏，忽悠不了你！"

"那要么我先投 30 万吧。"雷恒本想投七八十万，但想想还是要谨慎行事，"需不需要办什么手续，签个合同啥的？"

"有合同的，你明天早上去我公司，我带你去见一下我们韩总，签一下委托理财合同，然后我带你去合作的证券公司、期货公司开户。对了，委托理财合同双方以个人名义签，风险最大控制在30％。"

"那亏损超过 30％呢？"雷恒觉得自己有必要问一下，但好像又有点太不信任老同学，"我当然相信你们的实力，我是说万一。"

"超过部分会赔给你的，合同上都会写清楚，这个你不用担心。"

"好，那我明天一早去你公司。"

2008 年 3 月 14 日，西藏拉萨爆发重大打砸抢烧暴力事件，全世界为之震惊。原本就处在下跌通道的股市飞流直下，上证指数跌破 4 000 点，市场一片恐慌，要求政府救市的言论此起彼伏。与此同时，大部分期货品种也处在回调期，而且下跌的幅度比较大，甚至出现牛市转熊的征兆。

韩子飞决定把雷恒的 30 万全部投入期货市场，因为他觉得之后股市的机会很难说，而期货有涨跌双向机会，两边都可以把握。雷恒账户的资金到位后，韩子飞按照目前公司期货账户所持有的品种和方向，按比例投了进去。另外，韩子飞还把公司的期货账户加了一些头寸。

雷恒的运气真是不好，大豆、白糖、燃油、棉花的多单做进去两天后，第四天账户就出现了两万的浮亏。韩子飞有点不好意思，想让唐雨秋找个机会和雷恒解释一下，他们做交易是讲规则的，风险会在严密的监控之下，在一套交易方法之下有点浮亏是正常的，账户长期来看一定会赢利。

"雷恒的账户……"收盘后，韩子飞叫唐雨秋到办公室，他正在思考怎么组织语言。

"我正要和你说这件事。"原本唐雨秋还不知道怎么开口，现在韩子飞先说了，她赶紧接上话，"雷恒他说最近要新开一家影楼，先把期货账户的资金移一下，等资金周转流畅了再重新打回来。"

"那他的意思是马上要用钱，还是过段时间用。"韩子飞突然觉得雷恒这人太小心眼了。

"他说最好明天就能用。"唐雨秋轻声说道。

"好吧，我明天一早就全部平仓，他中午就可以用了。"

带着埋怨和惋惜，韩子飞心想：唐雨秋的这个同学太谨慎了，还算是做老板的，这点小钱都亏不起，想要帮他赚大钱看来是没有缘分了。

说来也怪，雷恒把资金撤走之后，除了燃油以外，期货大豆、白糖、棉花价格一路下跌。眼看着账户的赢利不断回吐，韩子飞很想把后来加仓的头寸全部平掉，但是又想着如果行情再起来，岂不是白白多亏了近万块钱。扛着吧。

行情继续下跌，韩子飞很后悔当时没有按照既定的计划，自作主张地加了仓位，又埋怨自己没有及时把新加的仓位平掉。

行情还是下跌，眼看着 3 万的利润快要全数回吐，反手做空的冲动时不时地涌上心头，但是按照既定的交易规则目前还是应该持有多单，虽然快到止损点了但毕竟还没有到。建仓？平仓？坚定做多？反手做空？韩子飞备受煎熬。

最后，当账户的利润消耗殆尽时，韩子飞实在受不了了，迅速平掉所有仓位，保住了本金，并且打算重新审视自己的交易方法和交易纪律。

都说股票投资者亏损的比例达到80％以上，而期货投资者亏损的比例更是达到90％以上，韩子飞终于深切体会到在期货市场赚钱的难度。他想，即便是有一套能盈利的方法，如果克服不了自己人性和情绪上的弱点、没有交易计划和交易纪律，亏损依然可能是大概率事件。

也难怪东方俊……

突然间，韩子飞有点理解当时东方俊大亏之后的逃避。

可谓祸不单行，在持有的期货合约大幅下跌的同时，A 股大盘也破位下跌，上证指数击穿 4 000 点并继续一泻而下，A 股 1 500多只股票一片惨绿，找不到一只可以买入的股票。有些被套的股民资产已经跌去一半，韩子飞虽然持有着曾经逆势上涨的中粮屯河和隆平高科，但在所有股票集体跳水的情况下，再好的股票也会遭殃。韩子飞发现，原本中粮屯河的庄家想要硬抗，但似乎有心无力，于是就顺势洗筹码，股票价格也就跟着大盘大幅下挫。很快公司的股票账户缩水了10%，韩子飞综合分析之后抛掉所有筹码，空仓观望。

虽说期货账户没有伤及本金、股票账户还有超过10%的赢利，但这一波股市期市联动下跌的行情着实让韩子飞日不能食、夜不能寐。"期货方面，我必须找到更好的赢利模式和执行更严格的交易纪律；股票方面，我也应马上规划2008年一整年的投资策略，因为在熊市中找牛股是难上加难之事。"

几乎所有的股票和大部分期货品种继续下跌，韩子飞在哀叹的同时竟然还有一种莫名的欣慰：要是当时没有砍仓，现在恐怕亏得更多！

遭遇了如此的险境，韩子飞加倍地投入到了研究之中，格列高里·莫里斯的《蜡烛图精解》、史蒂夫·尼森《日本蜡烛图》，成了夜幕降临时韩子飞的精神食粮和安慰剂，他以咬文嚼字的方式阅读，力求看懂每一句话、每一幅图片，试图从K线的形态、不同K线的含义、不同K线组合的含义中找到价格涨跌的规律，并用于指导日后的投资。

每每看懂了某个关键要点，他就会拍案惊喜，慢慢地他悟到了不同的K线和K线组合所表达的涨跌密码，但是要把这些密码彻底破解并且转换成一种赢利的交易模式似乎尚欠火候。

韩子飞迫切地需要新的养分。之前因为赚钱比较顺，韩子飞没有心思做"期股争霸论坛"下一个高手的专帖，如今亏了钱才感觉自己功力太浅，看书只能解决一部分问题，他更需要向高手讨教。于是韩子飞让唐雨秋尽快约下一个高手，并且还是做期货的，如果有股票期货都能做好的高手则更好。

两天后，唐雨秋约到了嘉兴桐乡的一个高手邵高林，这位高手股票和期货都得过全国的实盘大奖，股指期货仿真大赛也得过奖，外汇也做得很好，可谓是全能冠军了。

桐乡是一个富裕的小城，虽然城市的基础建设不如上海、杭州等大城市，但也能见到一些精致或奢华之处。下午3点，韩子飞和唐雨秋从桐乡汽车站出来，叫了一辆三轮"小飞龙"往邵高林提供的地址驶去。

这是一个临街的店面，一楼是一家理发店，感觉不像是做期货交易的地方，唐雨秋仔细地对了一下门牌，振兴东路没错啊，门牌号码也对啊。打了邵高林的手机才确认这里确实是他办公的地方。

唐雨秋和韩子飞走进理发店，一前一后从左侧的楼梯上去。

邵高林已在二楼的楼梯口相迎，这是一位戴着金边眼镜、额头很高、略显消瘦、35岁左右的男子，他穿着一件咖啡色的夹克衫，里面套一件灰色高领毛衣，笑容可掬地站着。

"是唐小姐和韩先生吧！这里不太好找，辛苦你们了！"

上了二楼，韩子飞发现邵高林要比刚刚仰望的时候矮一些，因为两人并排走时邵高林明显比他要低半个头。

二楼有两个房间，靠里面的是邵高林的办公室。这是一间20多个平方米的办公室，办公桌、茶几和沙发都是深色系的，办公桌上两个21寸的显示器表明邵高林盘中关注的品种可能比较多。办公桌桌面很整洁，除了一角摆放的打印机和一叠书以外，只有一个合着的笔记本，后面的墙上是一张美国原油多年走势图，整个办公室都没有看见电话机。办公室有一个向南的窗户，窗前摆放着一台跑步机和一套哑铃。

"我本来是做钢材贸易的业务员，这几年中国的房地产发展很快，做钢材的一些老板也发了财，我那时还算比较勤快，天天在外面跑，做了两年后底薪从 1 000 元涨到 3 000 多元，每个月的奖金都有 1 万多。按理说在桐乡这样的小地方也能过很好的生活了，只是我接触股票、期货比较早，基本上一有闲钱就往里面送。最早投资股票是在 2000 年左右，稍微亏了一些，后来在 2001 年下半年开始了解期货并且慢慢地陷了进去。从 2001 年到 2005 年我每年都是亏损的，基本上把每个月的奖金都填进去了，这可是个无底洞啊！"邵高林平静地介绍。

"可是我不甘心就这样亏下去，因为我从 2004 年就开始隐约觉得做期货可以找到一些赢利的方法，到了 2005 年我基本上已经有了自己的赚钱方法，但是因为之前亏得太多了，心比较急，总是违背自己制定的方法。一会儿仓位太重了，一会儿不该进场的时候进场了，一会儿该平仓的时候又要死扛了，所以 2005 年没有挣钱，不过亏损也少了。"

"那个时候，我不敢把我做期货的事情告诉家人，交易都是在期货公司的交易大厅里做的。每个月我的底薪还是上缴给老婆，只是靠这点钱只能维持家庭的日常开销而已。我老婆的收入也不高，我们之前很多年都是挤在父母的一套 70 多平方米的两室户里，眼看着房价节节攀升，就是没钱买。"

"2002 年到 2005 年是我压力最大的时候，也是经常会怀疑自己、想要打退堂鼓的时候。我 1998 年就结婚了，因为家庭收入少，一直没敢要孩子，后来父母实在是催得太急了，2005 年生了一对龙凤胎。孩子生下后，家里热闹了很多，父母也开心了很多，只是我越发感觉到自己太没用了，一家六口人挤在 70 多平方米的房子里，快乐是快乐，但心里总不是滋味。"

"2004 年、2005 年的时候，我的一个客户建议我自立山头，开一个门面做钢材生意，他还是从我这里拿货，并且可以介绍一些朋友也从我这里拿货，可是我哪来的启动资金啊！"

"有一次，两个宝宝同时感冒、发烧，老婆比较担心就送到县里最好的医院去看，医生说比较严重，必须住院一段时间，可是当时我们家实在没有太多钱。为了不向老父亲借钱，我忍痛平掉了部分期货头寸，拿出 1 万多块。"

邵高林沉默了两分钟。

"2006 年初，我所在的钢材贸易公司发奖金，因为我 2005 年跑市场比较出色，老板一次性奖励了我 8.8 万。我拿回家里 1.8 万，剩下的 7 万全部打入期货账户，账户里原来还有 3 万多，就这样凑足了 10 万。其实在 2004 年底的时候我的账户曾经一度突破 30 万，只是后来又全部亏了回去。"

"2006 年初开始，也就是有了那 10 万开始，我给自己制定了严格的交易纪律，并且告诉自己：如果再违背纪律下单，就罚自己两天不吃饭。2006 年 3 月份还真有两次两天不吃饭的。"

"当一个人有能力买饭吃，但是必须克制自己，强迫自己挨饿两天，经历这样的事情之后，他就会知道纪律的重要性。"

"恰好，2006 年 3 月到 5 月遇到了铜的一波大牛市，我在资金增长一部分就按比例加仓的情况下，资金翻了 10 多倍，下半年做得也还不错，又在原来的基础上翻了一番，就这样我有了 300 万。直到这个时候我才把我在做期货的事情告诉家人。"

"之后，买房、装修，总共花了 100 万，又买了一辆车，再交给老婆 50 万，剩下的钱还是留在期货账户里。"

"2007 年，大豆的行情比较好，我期货的资金又翻了 3 倍多。同时我觉得做股票、股指期货、外汇也是相通的，很多时候也可以用我在期货中总结出来的方法。于是我也投资了一点股票和外汇，还参加了股指期货的仿真比赛，成绩居然也不错。因为正好遇到股票大牛市，我选的股票也不错，主要是做了一波中孚实业（600595），2007 年也有三四倍的收益。"

"这两年获得这么好的投资回报，你具体的投资理念、交易方法是怎样的？"韩子飞还是想多了解一点他赚钱的秘诀。

"我并不认为我的方法是最好的，比我做得好的人多得是，我只是比较幸运，及时纠正了自己的错误，并且坚持不再犯错而已。其实赚钱的方法很容易找到，随便看一本好书或是看着静态的 K 线研究研究，都能发现或悟出一两个赢利的方法，只是这些方法如何去验证，验证后如何坚持比找到它们更重要。说到底还是一个交易纪律的问题，如果连一个方法都无法很好执行，就更不用说把这个方法进一步优化了。"

"这么说吧，我核心的交易理念还是趋势交易，不过我的交易周期相对要短一些。有时候持仓一个星期，有时候持仓一两天，甚至当天平仓。在大的趋势下，我力求找到更好的进场点位和出场点位，我不会像其他趋势交易者那样，涨了很多了才进去，回调很多了才出来。我的方法会尽量减少进出场的成本。哪怕有时候踏空一两次行情也不怕，只要后面又出现进场机会了，我还是会进去。我想做期货或者做其他任何投资还是要讲究风险收益比，如果风险很大，就不要去做；如果风险很小，仓位稍微大一点也无妨。"

"其实，技术到位了，如果底仓不大，盘中是可以加减仓的。"邵高林恰到好处地补充了一句。对交易者来说，有时候赢利的方法是绝对保密的，邵高林当然也不例外，最核心的交易方法他一定不会说出来，不过他能说出这些已经很不容易了。

和邵高林聊了两个多小时，韩子飞深有启发，不但邵高林的波段交易、小止损出场可以借鉴，对交易纪律的重视更是韩子飞目前需要解决的问题；同时他又被邵高林对家人发自内心的关怀所深深感动。这位看似平凡的男人，实际上拥有很多伟大的品格，这或许也是他成功的原因之一吧。

一看已经 5 点 40 分了，邵高林便邀请韩子飞和唐雨秋一起回家吃个便饭。桐乡到上海最晚的车子下午 5 点就没有了，本来他俩就得在桐乡待一晚，再者觉得邵高林这人特别真诚，也就不再见外。

邵高林开的是一辆福特蒙迪欧，这类车在桐乡这种小城很少见，这里的人要么开奔驰、宝马，要么开通用和大众的车子，福特蒙迪欧可能很多人都没听说过。

"刚刚办公的地方是我2007年初租的，因为一个人用一层就够了，就把一楼转租给朋友开理发店。"在回家的路上，邵高林似乎觉得有必要解释一下自己的办公场地，"本来在家里做交易也可以，但我总觉得不能让孩子感到老爸赚钱很容易，动动鼠标就能有几万几万进账，这样对孩子的财富观、世界观都不好，甚至可能影响以后的发展。所以我宁可每天出来'上班'，晚饭的时候再回去。让孩子觉得老爸每天都努力工作才给家庭带来了不错的收入。"

车子在一栋联体别墅前停下，一对儿女蹦蹦跳跳地出来迎接他们的父亲……

活泼可爱的子女、持家的妻子、慈祥的父母，邵高林有着世间最宝贵的财富，而这些财富只有在他的用心经营之下才会闪闪发光。

"韩先生，你和唐小姐今晚就睡在我家吧，我们这里有一间客房，如果你们不嫌弃的话。"晚饭后，邵高林的妻子边收拾碗筷，边向两位来自上海的客人发出了邀请。

唐雨秋顿时脸红了起来。显然邵夫人把她和韩子飞看作情侣了。不过，说实话她心里的确有一种隐约的期待。

"谢谢了，大嫂。"韩子飞温情地看了看低着头、红着脸的唐雨秋，"我们今天就睡酒店好了，明天我们还要早点起来赶回上海。"

邵夫人没有注意到唐雨秋的表情，继续挽留说："明天早上让高林送你们去汽车站好了，你们睡在我们家还更方便一些。早上宾馆里出来不一定叫得到车，桐乡是小地方不比上海。"

"人家可能晚上还有一些工作要处理，家里的客房没有通网线。"邵高林观察到唐雨秋不太自在，"我等一下送你们去钱塘新世纪大酒店，我有那里的会员卡。"

东方俊原以为期货铜价的下跌只是上涨过程中的一个小调整，于是趁着回调加仓，哪知它竟持续下跌，曹万庭的账户……

这天东方俊回家比较早，还做了晚饭。

夫妻俩一起吃饭的时候，东方俊对白灵说："老家一个哥们结婚，我要回去一趟，顺便也可以考察一下那边有没有什么项目可以投资，可能要多待几天。你们公司最近比较忙，你就别和我一起回去了，一来路上比较辛苦，二来你老板估计也不会同意你请假，我一个人去就可以了。"

第二天，东方俊在太华期货附近的一家廉价旅馆住下，白天还是去太华"上班"，晚上则回旅馆睡。

每当窗外的霓虹亮起，上海的美女们盛装"上街"的时候，东方俊就打开电视机，看新闻联播、天气预报、肥皂剧、财经节目、名人访谈以及无数的广告……

偶尔编一些短信发给白灵，告诉她自己在老家遇到的一些事情和感受并说"有几个项目可能有合作机会，要深入谈一下"。

他好几次想打电话给韩子飞，想问问这位大学同学近况如何，投资公司后来搞成没有，操作的资金多不多。不过几次都是拿起手机又放下。

旅馆的灯比较暗，热水也是分时段供应，东方俊在这10来个平方米的小屋里"闭关"，他不断地反思，不过更多时候他在思考下一步该找谁。

有些事情该来的还是会来，这天中午，白灵刚吃完午饭，正在和隔壁的同事商量一个策划方案。

曹万庭气势汹汹地从外面走进公司："白灵，你马上到我办公室一趟。"

白灵一头雾水。同事则自言自语说了句："曹总今天怎么了？以前没见过他这样。"

随着曹万庭走进他的办公室，看他打开电脑后，瞪着自己。白灵在想：是不是被哪个客户投诉了，不至于啊，最近几个项目还算顺利。

曹万庭闭上眼睛，捏了一下太阳穴，深吸了一口气，强迫让自己平静下来。

"东方俊在哪里？"

"他回福建了，有朋友结婚，然后考察一些项目。"白灵感觉有些奇怪，怎么老板会问起东方俊。

"他的这个手机号码我打过去要么关机要么不接，"曹万庭在手机通讯录中找到东方俊的手机号码抬手给白灵看，"你有没有他其他的联系方式。"

"他很少用这个号码，您找他有什么事？要不我来转达一下，或者您打一下我存的这个电话试试？"白灵拿出手机翻出东方俊的另一个号码给曹万庭。

"我必须马上联系到他，我有急事找他，他在帮我做期货你知道吗？"曹万庭拨了过去，"你看，这个号码也是关机。"

"期货？哦，是的，他除了做贸易好像还投资一点期货。"白灵看到曹万庭疲惫、焦虑带着怒气的目光，感觉似乎发生了什么事，"要不我现在打他老家家里的电话问一下。"

"好，赶快打一下。"

"喂，妈啊，我是白灵。"

"哪个？"东方俊的母亲一辈子都没有离开过漳州，说普通话很艰难，听普通话也费力。

"我是白灵啊，妈。"

"哦，灵儿啊！"

"东方俊在家吗？让他给我打个电话。"白灵尽量慢慢地说，以确保东方俊的母亲可以听懂。

"阿俊，他不在家啊，他一直在上海。"

"上海？他不是回漳州一个星期了吗？"

"没有啊，你们小两口是不是有什么事情？"

"没什么事，您别担心，妈，我先挂了。"白灵突然明白了东方俊前段时间为什么不太正常，但是这和曹万庭又有什么关系呢？和期货又有什么关系呢？

"看来他连你也骗了！真是个混蛋！"曹万庭终于按捺不住心中的怒火。

"曹总，你们之间怎么了？"白灵有一种不祥的预感。

"你老公春节前和我说他做期货很厉害，让我投资一点给他操作。我先拿50万给他，他很快就赚了10万，于是我卖掉了所有的股票，凑足200万给他操作，最多的时候他做到280万，我还分给他18万，对了，还给过你2万，你记得吧！"

白灵终于明白了那2万的奖金原来是和东方俊有关系。

"你老公简直就是个大骗子，我最近出差比较多，没有太去管那个账户，结果那280万现在只剩1 000多块了！他是怎么亏掉的？还是说他用什么办法转到自己的账户上了？"曹万庭顿了顿，"今天我打电话给期货公司询问，他们说我的账户最多的时候到过300多万，后来就全部亏掉了，而且还可以把账单打印给我看。"

……

白灵想起了父亲借的200万，也想起了上次韩子飞打电话说找不到东方俊的事，终于明白了十之八九。

下午，东方俊的电话还是打不通。

傍晚，东方俊和前几天一样，给白灵发来了短信。白灵立刻打电话过去。

"灵儿，你到家了吧！"东方俊把电视机关掉。

"你到底做了什么？"白灵厉声道。

"啊，没什么啊。"

"你到底要瞒我到什么时候？今天曹万庭找我了，说你帮他做期货亏了200万。"白灵提高了音调。

"看来你还是知道了，我本想近期赚点钱还给他的。"

"东方俊，我问你三个问题，你要如实地回答。"

"第一，我爸的200万是不是也被你炒期货亏掉了？第二，你所谓的贸易公司是不是只是一个空壳，你根本就没在经营，你给我看的账本也是假的？第三，韩子飞上次找不到你，是不是也和亏钱有关？"白灵尽量用很平静的语气说道。

"灵儿，你听我说……"

"你回答我的问题！"

"是的。不过我……"

"东方俊，我们是夫妻啊！你怎么能骗我这么久呢？"两行眼泪夺眶而出，白灵瘫坐在客厅的沙发上，"你做贸易我很支持，你投资点期货我也不反对。如果操作的是我们自己的钱，那赚钱亏钱都不要紧。但你不要骗我，你怎么能拿个假账本给我看呢？你还把爸爸的钱、曹总的钱、韩子飞的钱骗去亏掉了，你太令我失望了！"

"灵儿，对不起！"东方俊的眼睛也湿润了，"你给我半年时间，好吗？我会把所有的钱全部还掉。"

"你还想骗我半年！我都已经被你骗了10年了！我不会再相信你了！"白灵已经哭成泪人，"我们离婚吧！"

"灵儿，我是爱你的，我绝不会和你离婚！"

"我不想再见你了，你永远不要再回家！"

东方俊心如刀绞，他已无话可说，两滴眼泪终究还是流了下来。

投资观小结

东方俊：

在通货膨胀的年代，为了防止资产贬值，可以投资期货。

经济越萧条，投资期货越能赚大钱。

曹万庭：

在没有 80％ 以上信任一个人之前，绝不会用押注的形式投资。

投资方面，专业的事应该让专业的人去做。

韩子飞：

最应该共享财富成长乐趣的应是最亲密的朋友。

期货交易，要有严格的交易纪律。

邵高林：

如果投资股票、期货没有找到赢利的方法，那就是个无底洞。

投资股票、股指期货、外汇是相通的。

找到赚钱的方法很容易，但坚持起来很难。

如果风险很小，仓位稍微大一点也无妨。

不能让孩子感到老爸赚钱很容易。

第七章 复 苏

希望是厄运的忠实的姐妹。

——普希金

在邵高林的启发下，韩子飞隐约找到了一点苗头，对自己之前的期货交易方法做了一些改进，但是心里还是比较虚，在个别问题还没有彻底吃透之前，他还不敢轻易投入资金做期货实盘。一方面他继续思考、研究、完善他的交易模型，另一方面他需要尽快向其他的高手取经。

这一次，他们找到了杭州的马斌。据说他是一位知识分子型的交易者，拥有博士学位，还是名牌大学的 MBA，精于统计和数学模型的应用，在投资期货之前已经有年薪三五十万的收入，做期货以后亏损从来没有超过 30％。4 年来，他投入期货市场的 50 万已经变成了数千万甚至更多，具体数字是多少可能只有他自己知道。

3 月下旬的阳光已经十分温暖，西湖显得分外妖娆和甜美。观看风景的人也成为风景的一部分，只是当这一部分占的比例过多时，风景本身也就打了折扣。幸好，西湖的水足够深邃，西湖边的群山足够深远，千百年来它们承载的故事也足够璀璨。

马斌在西湖风景区莲花峰路 9 号西湖绿棠会所一个中式的小会议室内，品着龙井。

下午 2 点，出租车在绿棠会所门口停下，韩子飞下车后感慨：小隐隐于野，大隐隐于市，这地方真好！

唐雨秋和韩子飞在穿着立领中装的服务生的带领下进入会议室，门是开着的，服务生象征性地敲了一下门："马先生，您的朋友到了。"

"欢迎来到西湖。"马斌起身过来和他们一一握手，然后转向服务员，"再倒两杯茶。"

马斌看上去不到 40 岁，至少有一米八的个头，穿着淡灰色的休闲西服，里面是一件白色的羊毛衫。他的肤色偏黑，浓眉大眼，嘴唇偏厚，微笑的时候非常收敛，那双炯炯有神的眼睛散发着让人敬畏的目光。

"我博士毕业后到了珠海，当时我觉得那里是中国最好的地方。那时我做的是软件开发的工作，我所在的公司主要服务于国内一些大的企业还有北美和欧洲的一些企业。我是 2005 年搬到杭州定居的，一方面我喜欢江南的繁华、婉约和特有的人文气息，杭州的繁华让人如此迷恋，西湖的山水又能净化很多浮躁；另一方面我老家是安徽的，杭州离安徽比较近，我有很多朋友也在长三角工作。"马斌品着茶，不紧不慢地介绍。

"我一直认为股票、期货、外汇投资市场就是现代版的电子战场，如果投资者没有精良的武器就冲杀进去，必然会被敌人打倒甚至砍死。我1998年前后就在珠海接触了香港的恒指期货，当时我的一些朋友在做，但我一直没有做，在没有弄明白一件事情之前我是不会去做的，即使是尝试也最好是无风险或是超低风险。后来我陆陆续续投资了一些股票，稍微赚了点钱。直到2003年下半年，我才摸索出一套自认为能够在国内期货市场赢利的'武器'，然后我才敢进入期货市场。"

"可能是这套'武器'一开始就比别人的要好一些，再加上我自己这4年多来不断地打磨，'武器'越来越锋利和精准，所以我比较幸运地在市场上存活下来了，而且还活得不错。当然敌人的武器也在不断优化，赤手空拳或是随便拿把菜刀就上'战场'的投资者越来越少，现在程序化交易、量化投资等都在兴起和发展，所以对我来说还需要继续打磨我的'武器'。我想这个市场'胜利才是真理'，借用我看书看到的一句话：'胜利者和失败者的荣誉都在于胜利者如何书写。'"

"请您具体说说您那套，呃，'武器'的原理和使用方法吧。"韩子飞说道。

"我把主要的原理和你说一下吧。"马斌思考了一两分钟，"我一般先一手两手不停地尝试，一旦逮到机会我就逐渐加仓，止损我设得比较小，错了就砍掉，对了就留下，然后找合适的机会全部平掉。当然，有时候如果行情不合适我会空仓，休息一段时间再进入市场，反正机会是永远存在的。其实我要抓的就是比较流畅的一个波段，它可能只有两天，也可能持续两个星期。对某个品种来说，属于我的机会可能随时出现，也可能盘整两三个月都不出现，所以必要的品种组合很重要。当然关注的品种也不能太多，关注的东西越多越容易分散精力、错过机会，甚至形成错误判断，我认为关注5个品种即可，不然会顾不过来，并可能得不偿失。另外，一套方法不可能适用于所有的品种，至少可以这么说，针对某些品种使用起来效果不会太理想，所以一套相对固定的方法，还是找最合适的几个品种做比较好。"

韩子飞觉得马斌的交易方法和邵高林的交易方法有些许相通之处，其实就是把传统的趋势交易理论进行个性化改造，重点是做把握性更大的机会，放弃或是轻仓尝试一些把握不大的机会，同时把止损严格控制住。

韩子飞突然有点顿悟。

双方聊完已是下午4点半左右，马斌因为有大学同学到杭州旅游，晚上必须去陪吃，这会儿他该走了。马斌离开时，开车带上韩子飞和唐雨秋，把他们送到西湖边的太子湾公园门口。

两人跟马斌挥手告别后，韩子飞终于忍不住问唐雨秋："你让他送我们到这里，好像离火车站更远，为什么不送到西湖大道附近？那里也是西湖边啊！"

"等一下你就知道了！"唐雨秋故作神秘地笑着。

太子湾公园是一个开放式的公园，在苏堤的对面，从南山路拐个弯进入一条林阴小道便算是走进了公园，西湖十景中的花港观鱼、南屏晚钟、雷峰夕照都在它的不远处。

"这里好像没什么特别的嘛！"

"要有耐心，风景就在前面。"唐雨秋拉着韩子飞向前走去。

突然，一大片樱花林映入眼帘。满枝的白色樱花点缀在青山和蓝天之间，一幅美丽无比的画卷铺将开来。这是樱花浪漫的季节，这也是温情灿烂的时节。

韩子飞突然觉得这个地方如此熟悉……

10 年前，也是这樱花浪漫的季节，蓝雪带着韩子飞到太子湾赏樱花的画面跳出脑海。雪儿的欢笑和樱花的美丽一一浮现，韩子飞感觉自己又回到 10 年前，而身边的那位女孩似乎也回来了……

"杭州的樱花每年只在 3 月中下旬开放，从开花到凋零只有两个星期左右，如果今天不来，要明年才有机会看了。"韩子飞似乎没有听到唐雨秋的热心介绍，他被眼前熟悉的景象镇住了。

唐雨秋拉着神情恍惚的韩子飞，穿过成片开满白色、红色和黄色郁金香的草地，来到樱花林下，欢快地让韩子飞给她拍照。

一个女孩热情地跑过来，说："我来给你们拍一张吧。"唐雨秋开心地挽着韩子飞。

相机"咔嚓"一声，唐雨秋在想，这一瞬间若是永恒该有多好。

韩子飞神情越来越僵，一言不发地扭头就走，唐雨秋的笑容僵在半空中。

2008 年 4 月中上旬，股票大盘继续下跌，3 000 点岌岌可危。4 月 23 日，财政部、国家税务总局决定从 4 月 24 日起，调整证券（股票）交易印花税税率，由 3‰调整为 1‰，这一政策被看作重大利好，股市强劲反弹。

上海没有连绵的青山，只有属于富人的佘山；上海没有平淡的西湖，只有灯火璀璨的外滩。上海也许是一个容易忽略爱情的城市。这对于不需要爱情的韩子飞来说，更是如此。

回到上海后，他马上就开始全身心地研究和改良他的交易系统。

终于，在原来的期货趋势系统的基础上，一套周期变小、以波段交易为主、根据行情变动、以量化指标浮动明确进出场价位的交易模型被确定下来。这种方法总体思路还是顺势的，在每一次进场后，随着价格的波动，出场价格也是波动的，不过虽然出场价位是变动的，但在某一个时点，出场价位是唯一的，该不该持仓也是唯一的。

韩子飞还制定了严格的执行纪律，即每一次进出场都必须按照事先制定的交易计划执行，当然计划不是死的，而是根据行情的变化每天都会有几套计划，不同的计划应对不同的行情。任何极端行情都必须提前考虑到，提前设计对应的计划，保证盘中临时的判断为零。

韩子飞把这一套新的方法命名为"顺势波段交易法 H"，它的最大优势就是进出场比传统的趋势交易要更加灵敏，而且有一定的行情辨别能力。一方面进场和出场的成本会降低，另一方面有些不适合的行情会规避掉。

通过对十几个活跃期货品种历史数据的测试，韩子飞把效果最好的 5 个品种列为最终使用该方法的品种。又通过一段时间的模拟单测试，感觉效果不错。

虽然大部分股票还是没法买入，但韩子飞通过两三个星期每天花 4 个小时以上的分析、研究和选择，趁着印花税税率下调、股市集体反弹的契机，在 4 月中下旬再次买入隆平高科，同时也买入了刚上市的鱼跃医疗（002223）。

期货方面，韩子飞投入 30 万，选定 5 个品种，即铜、PTA、白糖、豆粕、燃油，严格按照"顺势波段交易法 H"操作，一般持仓 20%～30%，最高持仓必须低于 50%，也就是说如果 5 个品种同时符合持仓条件，账户总持仓也必须低于 50%。

在多个独家高手专帖的吸引下，"期股争霸论坛"受到了更多股市、期市投资者的追捧，每天有数万个独立 IP 访问。不少高手的专帖回复居然达到了近万个。很多高手专帖被数十个甚至数百个网站、博客、论坛转载，让本来就有点名气的高手更加出名，一些名气不大的甚至会瞬间出名，论坛良性互动已经形成，越来越多的专家对专区展示表示好感，还有人打电话过来说也要建一个专区。

有一次韩子飞在乘坐地铁时还听到同一节车厢里的两个乘客在谈论"期股争霸论坛"的某个帖子。此时，一向沉稳的韩子飞激动之情也溢于言表，拼命忍住心中的狂喜。

回到公司，韩子飞想立马跟大家分享这个好消息，刚好碰到雨秋在接电话。

"喂，您好。"

"您好，您那边是'期股争霸论坛'是吧？"对方是一个年轻男子的声音。

"是的，请问有什么可以帮助您？"唐雨秋小心翼翼地回答。

"我们是万秦证券企划中心的，目前我们万秦证券和万秦期货要举办一个股票、期货实盘争霸擂台赛。看到你们论坛比较活跃，并且很适合我们这个比赛的推广，所以想和你们探讨一下，在你们论坛首页投放一个 Flash 广告，并且建一个大赛的专帖需要多少费用？"

"呃，你们的大赛要维持多长时间，总共需要投放广告的时间有多长？"唐雨秋还是第一次接到主动来投广告的电话，吃惊地看了看已经急不可耐的韩子飞。

"我们的大赛为期一年，最好广告的推广投放也持续一年时间。"

"那我问一下我们论坛的领导，看看这样的推广需要多少费用，然后再给你回电话。来电显示的号码是你的座机吧。"

"是的，那是我的专线，我姓李。你尽快和我联系吧，我们的大赛再过两个月就要启动了，在目前这个节点进行推广最有效。"

这个主动要投广告的电话，让本来就已经很惊喜的韩子飞又是惊喜了一阵。唐雨秋也忘掉了之前的不快，与韩子飞兴奋地讨论。两人商量后决定报价 10 万一年，包括首页 Flash 广告、一个专题讨论帖，外加所有页面的置顶帖。万秦证券的李先生接到这个报价后，马上就同意了，并且希望尽快签合同。

韩子飞上网看了看与"期股争霸论坛"流量类似的网站的报价，才发现 10 万一年的价格报得太低了，其他网站可能 1 个月就要 5 万。不过这可是期股争霸网络信息有限公司第一笔正式的业务，就当是优惠吧。

过了几天，绿地大厦的物业专门上来找韩子飞，说是看到韩子飞的办公室利用率很低，就在原办公室到期之时推荐 16 楼 01 单位，总共 50 多平方米，月租金 7 000 块左右。

韩子飞和唐雨秋看了后决定租下这间办公室，一来搬迁方便，二来月租金 7 000 块也可以接受，论坛已经有了 10 万的收入，足以支付一年的租金。

于是，唐雨秋非常心疼地卖了部分办公家具，虽然只用了半年，卖出的价格却已是原价的 2 折，看来任何东西一旦沦为"二手"，就不值钱了。韩子飞搬进小间，外面的大间则放六张办公桌，唐雨秋用其中一张。另外，在唐雨秋的建议和坚持下，新办公室的门头还做了一块铜牌——期股争霸网络信息有限公司。

新的办公场地虽然小了一点，但是公司的前景似乎好了一些，新的希望在不断地酝酿，有着蓬勃发展的动力。

"兄弟啊，最近股票、期货做得如何？"何涛开着他的雅阁给韩子飞打电话。

"还行，前段时间不太好做，现在好一些了。"

"上次你说让我也投资一点钱，我这边刚好有 50 万闲钱，随时准备着和兄弟共同富裕啊！"

韩子飞挺想接下这 50 万，但考虑了一下还是算了，因为现在虽然自己的波段交易有点眉目了，但具体效果如何还要看看实盘操作的结果，目前来说还不能保证何涛的资金安全，这 50 万可是他的辛苦钱。

"呃，这样吧，你这 50 万还是继续做你的生意吧。这段时间行情一般，等行情好的时候，我有把握赚钱的时候再找你，这样你的资金利用率就高了。"

"好的，那我就随时听候你的调遣。"

股市投资机会的大大减少，让很多民间资金不知所从，"期股争霸论坛"的财富神话吸引了越来越多的人。一个自有资金达500多万的投资者，打电话过来想通过论坛找一个高手代为操作。说是股票、期货、外汇方面的高手都可以，只要能挣钱就行。韩子飞想到了孟泽。

"孟泽，你好！我是韩子飞。"

"韩总，你好。我正想给你打电话呢！"孟泽走出办公室，到过道上，"你们论坛的高手专区做得很好，很多朋友都在关注，不过你看能不能把我的专帖放到靠后一点或者索性放在最后一个。我毕竟是晚辈，做得好完全是大牛市成就的，和其他的高手相比还差远了。"

"好的，我今天就调一下。不过投资市场可不是论资排辈的，即使要排名也应该按照收益率来排，你可不比那些'前辈'差。"

"哪里哪里，我毕竟还太年轻。"

"对了，有件事想和你商量一下。"韩子飞把话题转向正题，"有个自有资金达500多万的投资者想要找一个高手帮他操作，你感不感兴趣？"

"太感谢韩总了，不过这资金我现在不能接。我这边在春节前后就已经把朋友的钱全部退了回去。我不看好后市，印花税税率下调的政策也只是暂时的利好，无法改变大盘的走势。这段时间我自己的账户也是只有十分之一左右的仓位在做一些尝试性投资，我觉得熊市之下还是谨慎一点好。"

年纪轻轻的孟泽居然能如此克制自己,真是不易。韩子飞转而想到了易天、邵高林和马斌,深入考虑之后,韩子飞决定找邵高林谈谈。

"要是在去年,我会建议100万做期货,400万做股票,而今年不一样,我想要么让客户100万做期货,200万做股票,还剩200万可以买个固定收益的债券或者信托产品。今年的股市毕竟不好操作。"邵高林听完韩子飞的介绍之后,决定接下这个客户。

"你的想法不错,这样分配资金比较合理。"韩子飞发现邵高林不但投资水平高,心思还比较细腻,并且也比较为客户的利益考虑。

"要是股票和期货我操作下来能赚钱,我分到的那一部分会分给你一些。"

"这个到时再说吧。"韩子飞倒没想到这一层。

"这个肯定要的,我会按照行规给你我分到那部分的20%～30%。"

"到时再商量吧,大家都是朋友。"

还有这个行规吗?韩子飞之前还真的不知道。看来网站的赢利空间还不只广告收入那么简单。

2008年5月,其他期货品种都在回调甚至下跌,而国际原油期货依然处在强势上涨之中,国内的PTA期货也是如此,甚至PTA的上涨趋势比原油还要更强一些。

和往常一样，东方俊在太华期货的大户室发呆，他已经两个月没有理财资金了，靠着以前在太华期货的"业绩"，拿着微薄的手续费佣金度日，如果还没有新的突破，恐怕连廉价酒店都住不起了，这对一个经常一天内输赢几十万甚至数百万的期货操盘手来说，真是莫大的讽刺和悲哀。不过接下来的这个电话，会彻底改变他目前不死不活的状态，这是一个让他喜出望外的电话，也是让他有机会东山再起的电话。

　　"东方大哥，你好，在忙吗？"东方俊以前的手下小钟打电话过来。

　　"我还不错啊，最近在做一波铜和豆油的行情。"

　　"那应该收益不错啊！"小钟对东方俊的交易能力从未怀疑过，东方俊一直是他心中的偶像级交易高手，"是这样的，东方大哥，我这边最近在绍兴接触了一个大客户，他们是一家 PTA 生产商，据说是中国最大的。"

　　"他们有什么需求？"东方俊嗅出了很大的合作机会。

　　"他们一方面要做一些套保，这倒好办，我找太华的分析师给他们做一个套保方案就成了；另一方面他们还想用更多的资金做投机，而且要求套保和投机由一个人完成，我想来想去没有合适的人选，只好来找老领导了，我想只有你可以胜任，只是不知道你现在方不方便服务这样的客户？"小钟带着央求的语气问东方俊。

　　"方便啊，当然方便。"这绝对是条大鱼，东方俊心想，"虽然我现在还在运作几个几百万的资金账户，但还有一些精力，你说的这个客户我想我可以搞定的。"

　　"这个客户一开始会用 2 000 万试一试，如果效果好了可能会有上亿的投入。"小钟听到东方俊还在做"百万级"的客户，便知道这个客户对东方俊来说意味着什么，"不过他们要求操盘手到绍兴上班，常驻厂里。"

"没问题，我可以过去的。"

"嫂子那边没意见吧?"小钟不小心问了一句不该问的。

"她不要紧的……"东方俊的心隐隐作痛，"你约个时间，我们去一趟绍兴，或者让客户到上海来见个面，我们尽早确定下来吧。"

"最好是我们去一趟绍兴。"小钟顿了顿，"不过还有一件事我想和你说一下。这个客户如果定下来由东方大哥做，如果赚钱了，分到的部分我这边想和东方大哥四六分，我四你六。"

这小子真黑，东方俊心里暗骂一句。

"好啊，虽然行规是三七，但我和你之间什么都好说。"东方俊装出很大方的样子，"那手续费呢?"他突然想到还有一项收入。

"也是四六分吧，我六你四。"小钟早就想好了分配方案。

"成，那就尽快联系他们，我们早点去一趟绍兴。"

从上海开车去绍兴，不过两个多小时而已。两天后，东方俊和小钟来到了"华茂五星石化有限公司"。这是一家大型 PTA 生产企业，使用目前全国最先进的设备，拥有员工 1 500 人左右，PTA 的产量占到全国产量的近五分之一。

华茂五星年销售额 300 亿元左右，是由国有资本、民营资本、香港资本共同出资组建的，三方股东具体占的比例多少没有向外界通告过。实际上就算是华茂五星的中层管理人员也不知道三方股东具体所占的股份，他们只知道公司的董事长是黄董，他是国有资本的代表，但他基本上不管公司，具体管事的是总经理张总，公司的民营股权主要是他的，公司还有几个副总，最常见的是主管生产的何副总和主管销售的李副总。

在李副总和公司销售部陈经理的带领下，东方俊和小钟参观了华茂五星的生产车间和仓库。东方俊发现华茂五星的生产流程井井有条，操作工人有着良好的精神状态，仓库里库存也很少，几辆外地牌照的大卡车在仓库门口装货。应该说，从表面状况来看，华茂五星的生产和销售都处在良好状态中。

参观完车间和仓库，李副总带领东方俊和小钟到会议室面见张总。

张总看上去只有40多岁，要比李副总年轻一些，而且身材也比李副总好很多，至少要比他高半个头，也没有成功的中年男人常有的凸腹。张总不像李副总那样西装革履，而是穿着休闲装，这样的装扮越发显得年轻，并有着随时去打高尔夫的感觉。

"这是从上海来的期货专家东方俊。"李副总介绍道。

"好的，大家都坐吧。"张总看了东方俊一眼，坐下后让大家也坐。

"那我们请张总先说几句吧。"坐在张总右手边的李副总很懂得尊重领导。

"我们公司，华茂五星是全国最大的PTA生产商，这几年来，发展得很快，产量一直处于前列，前年增加了投入之后，产能翻了两番，目前是中国第一的PTA生产企业。"张总环顾了一下坐在一边的李副总、陈经理还有另一边的东方俊、小钟，四个人马上回以微笑，张总继续说道，"随着原油价格的上涨，PTA的主要原料PX价格也涨得很厉害，而国内的PTA需求也一直在增长，应该说PTA目前虽然价格有点高了，但是仍然处在供不应求的局面。"

"是的，我们几乎是零库存的。"李副总接了一句，以显示他作为销售副总的功劳。

"不过，随着PTA价格波动的比例越来越大，我们隐约感觉到一定的经营风险和投资机会。"张总本想要继续介绍下去，不过他这时转了话题，"在这样的背景下，我们公司要招聘一位期货方面的专家为我们处理套期保值的业务，当然公司还有一些自营资金，在合适的时机也可以在期货市场做一些投资。这方面我想听听期货专家的想法，东方先生，你来说说看。"

东方俊为这一次见面早就充分准备过了，他脱口而出："生产企业要不要做套保？什么时候做套保？是不是一定要做空才是对的？我觉得都要看具体的行情，市场是千变万化的，我们必须以万变应万变。如今的世界，一个生产企业想要以不变应万变，恐怕很难经营下去，因为在金融资本的推动下，产品的价格波动已经有了很强的金融属性，如果不以全新的角度去解读价格的波动，并且在波动中抓取机会、规避风险，而只是想用传统的方式经营，以不变应万变的话，迟早会遇到很大的冲击。"

东方俊原本想说"致命的冲击"，不过在没有完全弄清张总的想法之前，还是收敛了一下。

"东方先生讲得很有道理，那么你再说说，像我们这样的企业，已经明确了要做期货，在目前的行情下，应该怎么做。"张总听到东方俊刚刚的一席话，初步认可这位年轻人。

"就目前而言，国际原油仍然处在强势上涨之中，我国的PTA期货也是如此，不要觉得现在的价格高了就一定会跌下去，这种思路迟早会出问题。价格也许会因为太高而跌回去，但不是现在，现在 PTA 的价格还在上涨之中，这是毋庸置疑的。"东方俊停顿一下，看到张总向他点了点头，更有信心地说，"对一个生产企业来说，在价格上涨的过程中未必要做空套保。我想可能有其他的期货专家会说价格高了就抛一点，反正现货已经有利润了，期货抛出之后就等于锁定了利润，即使期货再涨上去，也有现货的利润来补偿期货的亏损，总体上是不亏的。我是非常不认同这种做法的，这是没水平的期货分析师的建议。"

"那你觉得我们应该怎么做期货？"李副总也感觉到这个东方俊不一般，他想知道在价格上涨的过程中，他们应该怎么做，现货销售包括期货的业务毕竟都是他分管的。

"我觉得华茂五星应该这样处理，在目前的行情下，不要做空套保，只要保证现货的顺价销售就可以了，价格涨了就按涨的价格卖，反正我们库存很少，不怕价格突然下跌的问题。如果做空套保了，相当于是把价格上涨空间的利润全部扔掉了，我觉得那样做和直接扔钱没什么差别。"

"当然，如果企业有闲余流动资金，我们除了不要去扔钱，还要找机会捡钱，在 PTA 单边上涨的过程中，期货市场就是一个可以捡的市场。我建议华茂五星用 1 000 万到 5 000 万资金做多 PTA，在做好风险管理的前提下，一直拿到价格涨不动再平掉。"

"你说得很好！"张总笑了，"老李，你给东方先生安排一个独立的办公室，以后他就是我们外聘的期货业务经理了。"

四人目送张总离开会议室之后，李副总就问东方俊："你什么时候能来绍兴上班?"

"看你们的需要，我这边随时都可以，最快明天就可以。我今天先回上海处理一些琐事，明天一早可以过来。"

"那就这么定了。"

东方俊在李副总的带领下，看了华茂五星给他准备的办公室，这间办公室在8层办公大楼的第6层，上面两层是公司董事长、老总、副总的办公室。

看着东方俊和李副总有说有笑，跟在后面的小钟满心欢喜，而陈经理则有几分失落。

第二天，东方俊到岗。第三天，他开始操作500万资金的期货账户，两个星期后，账户赚了100多万。张总、李副总等人和东方俊专门开会之后，决定在期货上再投入1 500万资金。

行情继续上涨，东方俊在华茂五星风光无限。不过这一次，他比较谨慎，一方面严格控制仓位，另一方面随时准备着如果行情有变化甚至反转该怎么应对。

投资观小结

马斌：

股票、期货、外汇投资市场就是现代版的电子战场。

如果投资者没有精良的武器，必然会被敌人打倒甚至砍死。

即使是尝试最好也是无风险或是超低风险。

这个市场"胜利才是真理"。

如果行情不合适就空仓，休息一段时间再进入市场。

关注的东西越多越容易分散精力、错过机会，甚至形成错误判断。

韩子飞：

每一次进出场都必须按照事先制定的交易计划执行。

保证盘中临时的判断为零。

孟泽：

我做得好完全是大牛市成就的，不敢和其他高手比。

熊市之下还是谨慎一点好。

东方俊：

现货生产企业不一定要做空套保，时机合适也可以做多投机。

在商品价格波动的金融属性越来越强的时代，想以不变应万变经营企业，是致命的。

第八章　崛　起

数风流人物，还看今朝。

——毛泽东《沁园春·雪》

2008 年 5 月 12 日，汶川发生里氏 8.0 级大地震，大片地区沦为废墟，万千同胞家破人亡，举国悲痛！地震给人们带来无限伤悲的同时也带来了巨大的经济损失，刚刚企稳的股市再次呈现盘整下跌的态势。

韩子飞在期货波段交易上取得了很好的战果，一个月左右的时间，30 万已经做到 40 万；股票方面虽然也赚了不少，但总体而言大盘还是很差。5 月中旬，隆平高科冲高回落之后，韩子飞全数平掉了，只持有鱼跃医疗。与此同时，他把股票账户的一部分资金转到期货账户，并按照比例加了一些仓位，不过这次加仓他选择了把握最大的两个品种，即做空铜和做多 PTA。

"现在有点闲钱想要委托别人理财的人挺多，一方面我家里的一些朋友听说我们在股票和期货上赚了点钱，不少人想要投钱给我们理财；另一方面现在来自论坛的咨询电话也比较多。而且我们现在股票和期货自营理财都算做得比较平稳，你看我们是否接点外围资金？如果我们这边一松口，两三个月内进来500万资金应该没什么问题。"唐雨秋认为拓展外围资金的时机已经差不多了，其实只要股市不好，外加实业不景气，房地产也比较温，很多人有钱都没地方投，期货便成为不错的选择。

"那你就开始向外接一些资金吧！我们现在有了更加严格的资金管控体系，即使行情有变化，也不会像上次那样回撤那么多。"韩子飞这段时间也在考虑扩大理财规模，"不过我们最好再招两个人，一个是论坛的营销专员，一个是下单员。你看看何冰和刘佳妮还愿不愿意过来。"

"是啊，找生的不如找熟的。"唐雨秋也有点怀念那两个小姑娘，"我觉得刘佳妮可以过来做营销，而何冰可以继续做下单员。"

何冰因为有了不错的工作不想再动，而刘佳妮则说随时可以过来。唐雨秋便让刘佳妮6月份开始上班，做论坛的营销专员，这比较符合她的性格，也能给她更好的发展空间。而下单员，两人决定在"期股争霸论坛"发一个招聘帖子。

招聘的帖子一发，第二天一早就有十来个人投简历到唐雨秋的邮箱，看来这年头想要在金融投资市场发财的人还是很多的。唐雨秋发现有一封简历很有意思，因为投简历的人就是绿地商务大厦的保安，虽然唐雨秋和这个保安不熟悉，不过每天上下班都会见面，没想到这个叫曾三虎的保安以前还炒过好几年期货。

韩子飞也觉得这个曾三虎有点意思，于是就让唐雨秋约他明天收盘后见面。唐雨秋计划下午再给曾三虎打电话约定时间。

而此时，曾三虎正在他们办公室外的楼道里徘徊，他忐忑不安，他担心这一次投的简历又像以前一样石沉大海。因为没有人会请一个保安去做下单员，哪怕他以前有过交易经验。

但这一次，招下单员的公司就在自己的眼皮底下，难道还要让机会悄悄溜走吗？

他一定要自己找上门去。万一他们没看到简历呢？

电梯停在 16 楼，曾三虎走出电梯。他在电梯门口站了一会儿，终于鼓起勇气走向期股争霸网络信息有限公司。

"唐小姐，你好！"曾三虎站在门口，没敢进去。

看到这位高大黑瘦的保安，唐雨秋愣了一下，这不正是刚刚想要找的人吗！

"你是曾三虎吧？"

"是的，我是三虎。"曾三虎腼腆而略带尴尬地笑了一下，带着浓厚的安徽口音问道："你们公司在招聘下单员是吗？"

"是在招下单员。"看着老实巴交的曾三虎不自然地站在门口，唐雨突然想帮他一把："你赶快进来吧，我正要找你面试呢！"

"韩哥，曾三虎过来了，你要一起面试吗？"

"不是说明天面试吗？"韩子飞有点奇怪。

"他自己找上门来了。"

"找上门来了，有点意思，把他的简历打印一份给我，你们一起到我办公室吧。"

看到曾三虎的简历上写着之前做过 6 年时间的期货交易，韩子飞还真有点为他惋惜。期货这东西如果没有找到窍门，花再多的时间都只是浪费生命而已，甚至还是毒害生命。

"曾三虎，你以前做过 6 年的交易，最大的感悟是什么？"

"我就是喜欢做期货，做了这么多年虽然亏了一些钱，但我觉得还能做好，所以一直在找机会。"曾三虎有点紧张，毕竟他从未参加过正式的面试。

听到曾三虎答非所问，韩子飞想了想说："这样吧，曾三虎，你慢慢说，一个一个回答以下的问题：你是哪里人？几岁了？家里的情况如何？以前是做什么的？什么时候开始做期货？为什么做期货？后来为什么不做了？现在又为什么还想做？"

"呃，我是安徽省巢湖市庐江县的，今年 35 岁了，在家里我是老三，所以叫三虎，上面还有一个哥哥一个姐姐，下面还有一个妹妹，我还没结婚。"

唐雨秋倒了一杯水给曾三虎："慢慢说，不急。"

"我以前在家乡的一个工厂上班，那个工厂是生产电线的，我在那个工厂干了 10 年，后来做到了小组长。"曾三虎慢慢地平静下来，"我是 2000 年接触期货的，一开始我没敢做，后来在期货公司的那个业务员三番几次的引导下，我觉得期货是个可以发财的东西，于是就做了一些，这一做就停不下来了。"

"为什么停不下来？"韩子飞问了一句。

"要是赚了，我会想赚更多，因为那玩意赚钱比在工厂上班省力多了。"曾三虎的眼中闪过一丝亮光，"但是更多的时候是亏钱，亏得多了，我就想再加钱进去翻本，结果就是越亏越多。"

"那你什么时候来上海的，当时为什么要来上海？"

"当时我做期货连续亏了 6 年，亏完了所有的积蓄，向亲戚、工友借的一点钱也亏掉了，本来我有个对象要结婚的，可是钱都亏完了没法结，我就劝她另找他人了。"曾三虎说着说着眼睛有点湿润了，"后来，我实在没钱了，亲戚朋友又向我要债，我就想到外面打工挣点钱。到了上海，刚好我一个老乡在这栋大厦当保安，我也就来了。"

"好的，继续往下说。"韩子飞冲着曾三虎微笑。

"在上海的这两年，我一方面赚钱还债，生活上尽量节省，把省下的钱都拿去还债了，现在基本上已经还清了；另一方面我一直在关注期货的一些行情和新闻，这几年冒出来的一些期货高手我一直在关注，我有时候还会去参加一些期货公司的免费讲座，听听别人是怎么做的，我还是觉得期货是能够赚钱的，只是我没有找到正确的方法。"

"我一直在找合适的机会继续做期货，但是因为以前亏怕了，所以最好是能跟着别人学，哪怕是做下手也不要紧，工资低一点也没问题，只要能让我继续做期货，让我逐步学习。我这个人能吃苦，但我不想一辈子都当保安，当保安再过 10 年还是穷光蛋。"

"做期货可能再过 10 年你也是穷光蛋，甚至比做保安更穷，你有没有想过？"韩子飞感觉到曾三虎确实是个老实人，但就他的悟性，光靠自己再做 10 年估计还是亏。

"所以我自己没敢再做了，我想先做别人的下单员，慢慢学习，以后有机会再自己做，或者一直跟着别人做也可以。之前我投简历给几个私募基金，结果都没有回应，这一次希望韩总和唐小姐能够给我一个机会。"

曾三虎说完后，低下头。他不知道韩子飞和唐雨秋能不能接受他，他害怕自己得不到这个机会，他甚至没有信心做好这份工作，他只是想继续做期货。

唐雨秋看着韩子飞，似乎在说：给他一个机会吧。

"我决定招你做下单员，你大概什么时候能来上班？"韩子飞觉得应该给这个受过创伤的曾三虎再来一次的机会。

"我下个月就能来上班，我去和我老乡说一下做到月底就结束。"曾三虎喜出望外，他甚至有点不敢相信韩子飞会真的录用他。

虽说曾三虎有过 6 年的交易经验，韩子飞还是不太放心，于是让唐雨秋从头开始培训他，就当他是一个什么都不懂的新人。于是唐雨秋像当初培训何冰和刘佳妮一样训练曾三虎，而这个曾三虎，除了人老实一点、抗骂能力强一点以外，似乎没有太多的优点，反应速度比之前的两个小姑娘都慢，出错的概率也高，别人一个星期能够掌握的，他要两个星期，甚至一个月才能弄明白。唐雨秋只好多花点心思培训他。

而刘佳妮则是一个天生的营销员，她上岗后不用唐雨秋教就去摸索怎样把论坛的资源卖出去、卖给哪些客户合适。她经常一个人出去见客户，一去就是半天，回来的时候有时很开心，有时也会带着沮丧，不过很快她就会恢复斗志，是典型的"打不死的小强"。结果第一个月，她就拉到了一些半大不小的单子，比如一些证券公司、期货公司的招聘信息、活动信息的发布，这些一般是做一个月的置顶帖，收人家 1 000 块钱，总之刘佳妮拉来的业务收入发她一个人的工资已经绰绰有余了。下一步她给自己的目标是，拉一家公司做首页的 Flash 广告一个月，至少收人家 1 万块。真是一个有动力的姑娘！

一个半月之后，曾三虎终于可以胜任下单员的工作了。这时因为外围客户不断进来，理财的资金又稳步增长，韩子飞管理的期货账户总资金已经有 600 多万。公司的期货自营资金已经从 50 万的本金做到近 80 万，并且每一次的回撤都比较小。

韩子飞先让曾三虎操作一个 20 万的账户、一个 50 万的账户，其余的账户还是自己做。他每天早上 8 点半之前给曾三虎一个详细的交易计划，明确当天遇到任何不同的行情该怎么处理、哪个品种该什么点位进场什么点位出场、如果要进场该进多单还是空单等细节。韩子飞要求曾三虎必须百分之百地执行他的交易计划，而曾三虎本人则不能有任何其他想法，在盘中也不能有任何判断。

一段时间后，韩子飞发现曾三虎在交易计划的执行方面比自己还要好一些，因为曾三虎不需要做任何判断，只是在交易时间盯着 5 个品种看，价格到了就做，不到就不做，而韩子飞有时候多少还有一些犹豫。于是韩子飞把这种写好交易计划，然后让一个没有思想的交易员严格下单的形式叫作"物理隔离"。

近期诸事较为顺利、心情较好的韩子飞下班后到了 MOB 健身会所，不过很不巧，他没有看到教练主管"老大"，问起其他教练才知道，"老大"自己做老板开健身房去了。韩子飞一方面暗自恭喜"老大"，另一方面也觉得有点遗憾，以后少了一个可以谈谈股票行情的朋友。

6 月的晚上是舒适的，天气还没有热起来，散步是最适合的，更何况身处新华路的优雅氛围之下。韩子飞闲逛了半个多小时才上楼，不过时间还早，晚上 10 点对他来说仍是黄金时间。于是他上网看看新的资讯。

一条刺眼的报道跃入韩子飞的视野，有报道称截至 2008 年 4 月末，中国的外汇储备已达 1.76 万亿美元，国际热钱流入中国的速度正在加快。这个数字已经超过了日本、韩国、我国台湾和香港等几个美元外汇储备较高的国家和地区的总和；同时也超过了世界主要七大工业国 G7 的美元外汇总和。G7 是指美国、日本、英国、德国、法国、加拿大和意大利。

面对中国不断攀升的外汇储备，也有一些专家学者开始责怪政府的经济政策：用商品换美元纸币是愚蠢的行为，因为美元不断贬值，中国储备的美元越多，损失越大。

而韩子飞则有另外的看法，他觉得国际上上演的是一场货币战争，它以美元贬值为表象，实质是美国剪以中国为主的世界人民的羊毛的金融战争。在整个战争的过程中，美国做空美元，而中国做多美元，这是一场多空对决。美国通过发行更多美元来增加美元的供应量、通过减息来增加美元的流动性，使美元保持较长时间的贬值，缩水了美元的价值。对中国这个美元外汇储备最多的国家来说，对应的财富当然就大大减少了，美国通过美元贬值成功地剪了中国人民的羊毛。毫无疑问，在这场战争中美国已经赢了前半场，但是中国必将赢得后半场！中国的美元外汇储备是 G7 之和，这是什么概念？如果国际商品价格回落，这是多大的购买力！而如果美元继续贬值，中国美元外汇储备继续增加，当这个数字更庞大的时候，美国本国的经济是否吃得消？美国本国的人民是否会同意？美国人会不会最终变成搬起石头砸自己的脚？这一场货币战争，实际上是美国想要巩固世界霸主地位而主要针对中国发动的，但是由于中国的经济实力已经足够强大并且还有着更强大的后备经济力量，因此做多美元的动力十足。而美国需要处理的国内国际问题越来越多，所以，战争的赢家必然是中国。说到底，这和期货中两个庄家多空对决是一样的，谁的钱更多，谁能动用的后续资源更多，谁能坚持到最后，谁就是赢家。

其实中国外汇储备的增长正意味着中国已在逐渐赢得这场货币战争。韩子飞对这场货币战争深有感悟，于是洋洋洒洒写下近5 000字的一篇财经评论文章《中国必将赢得货币战争》，然后在自己的博客还有"期股争霸论坛"上发了出来。

第二天，《中国必将赢得货币战争》被推荐到一些财经网站的重要位置，而"期股争霸论坛"的那个帖子更是像炸开了锅似的引起广泛讨论。

一些网络上的"毒舌"骂写《中国必将赢得货币战争》的是一个"自负分子"，唐雨秋实在看不下去，带领刘佳妮和另外一些关注此问题的人在论坛上开展反击。"期股争霸论坛"因为一篇文章又热闹一阵。

论坛越来越红火，唐雨秋开始盘算今年公司可能的收入，她想"期股争霸论坛"的收入应该可以支付一年内公司的所有开支，而自营股票期货账户的理财利润加上外围理财账户的分红到年底应该也会有 100 万以上。

"韩哥，我们买一辆车吧!"

"现在还不急吧，公司的收入还不多。"韩子飞也知道今年公司的收入应该不会差，但他还是比较谨慎，他要找一个更说得过去的理由，"再说，我到广州之后就没再开过车，都有 10 年多没碰车了，现在都不会开了!"

"我会开啊!"唐雨秋反驳道，"我来做你的司机好了。"

"别胡闹了，等年底看看再说吧。"

"好吧，那如果你自己要买辆车，你会买什么车款?"

"呃……那应该是帕萨特吧。"韩子飞敷衍道。

周一唐雨秋开了辆全新的帕萨特去公司上班时，韩子飞哭笑不得："过一段时间，等公司财务状况更好一些，就把车钱还给你。"

"这是我给自己买的车，不用公司花钱，不过如果公司要征用，得支付油钱。"

"你自己买的车? 你不是一直想买 MINI Cooper 吗?"

"口味变了，不行啊?"唐雨秋发现韩子飞还记得自己曾经随意说的一句话，不禁有点害羞，只有赶紧转身离去。

孟泽认为 2008 年的股市恐怕没什么大的行情了，至少目前的两三个月不会有好的行情，于是趁五一假期回了趟湖州老家。这一回居然待了一个多月，反正闲着也是闲着，他就找老友叙叙旧或是四处游玩游玩，好不惬意。

直到 6 月中旬，孟泽才回到上海，而他的第一件事就是找韩子飞。

"孟泽，你好。"接到孟泽的电话，韩子飞有些惊讶，有些欣喜。

"韩总，你们的论坛现在搞得越来越火爆了！"

"都仰仗着你们的捧场。"

"客套话就不说了。"孟泽找韩子飞是有正事的，"我最近在老家湖州认识了一个传奇人物，60多岁的大伯，姓柳，1991年他就开始炒股票，1993年开始炒期货。我心想这样的'活宝'应该可以成为你们论坛的专帖素材，就和他聊了几个小时，感觉他的人生相当传奇，可以说是见证了中国股市和期市从一开始到现在的兴起和发展、繁荣与黑暗。他现在退休在家，闲下来的时候还会炒点股票，据说这两年收益也不错，期货倒是没有再碰了。"

韩子飞听着越来越感兴趣："那我这边近期去一趟，我想会会这位柳大伯。"

"我已经帮你说过了。"孟泽当时就想到了这一层，"我当时就和他说了你们论坛，他看了以后觉得论坛的内容做得不错，创意也很好，我就和他说如果方便就让你去找他聊聊，他一开始稍微有些推托，后来在我的一再请求下也就同意了。"

"那太感谢你了！要么你帮我约个时间，这个周末无论哪天都可以，你那边定好时间，我就过去。"有价值的事情，韩子飞总会在第一时间去做，"时间最好是下午，你有空的话一起过去，我们开车过去。完事后我请你吃饭。"

"好的，没问题，我约好之后通知你。"

周六上午10点半，孟泽来到绿地商务大厦1601室，他参观了期股争霸网络信息有限公司，颇有感慨："没想到你们这么大、这么火爆的论坛，就在这么小的办公室里搞出来的。"

而后，三人在中山公园的肯德基简单地吃了午饭，稍作休整，12点不到就出发了，这是唐雨秋第一次开车去50公里以外的地方。

周六的中午高速公路上的车子不多，唐雨秋一路开得还挺顺溜。一路上孟泽介绍着柳大伯的传奇故事，外加三人天南海北地瞎聊，两个小时后，到了湖州。

孟泽约了柳大伯下午3点在一个茶楼的小隔间里见面，这是一个充满江南水乡风情的茶楼，进门处有一个人造的小水池，细水在光滑的鹅卵石上流淌，几条锦鲤在水池里嬉戏。茶楼里所有的桌椅、屏风都是雕花的木质家具，一块最大的屏风上铺开的似乎是一幅清明上河图的刺绣版。无锡的韩子飞、湖州的孟泽、义乌的唐雨秋，算起来都是江南人士，走进如此风情的茶楼，骨子里的才情和秀气也就自然而然地被激发出来。

一位留着平头、头发花白的老伯，在服务员的带领下来到孟泽的隔间。

"柳大伯，您坐这边。"看到柳大伯移门而入，孟泽马上起身迎接。

韩子飞和唐雨秋也站了起来，这位神采奕奕、脸色略带红光的大伯有着和他的年龄不相符的精神气质。

"这位是韩子飞，这位是唐雨秋。"孟泽介绍道。

柳大伯含笑向韩子飞、唐雨秋点头，坐下后要了一壶碧螺春，还特别说明要今年新上市的新茶。他看了唐雨秋一眼，然后把目光转向韩子飞。

"上次小孟和我说了你们做的那个论坛，我觉得做得挺好，是这些年里少有的好论坛了，现在很多网站都是乱七八糟的，不是收费入会就是卖什么'黑马涨停'，太浮躁，不踏实。"

听到柳大伯的这句话，韩子飞突然想到现在"期股争霸论坛"上的广告开始多起来了，有点心虚，一边赶紧告诫自己，千万不能有柳大伯说的那种类型，另外同一时间内各个页面上广告的数量也不能太多，适量就行。

"韩总他们做的论坛算是我去过的最好的投资类论坛了，一方面人气活跃，另一方面内容有用，不像其他的一些论坛尽是瞎扯的信息。"孟泽接了一句。

"我们做的时间不长，还在摸索，一步一步慢慢做好吧。"韩子飞有点受宠若惊。

"关于我这些年投资股票和期货方面的经历，小孟应该已经和你们说了一些了，还有什么你们需要了解的我们现在就聊一聊吧，总之我把我经历的实情都说出来。"

"我和韩总他们讲的都是一些边边角角的事情，您还是按照这份纲要，从您卖掉袜子厂、拉链厂去上海炒股票开始说吧。"孟泽拿出韩子飞这两天准备的问题纲要，上面还有两三个问题是刚刚柳大伯到茶馆前，韩子飞根据车上孟泽的介绍临时加上去的。

"好的，那我就按照这个顺序说吧。"柳大伯接过那两页纸，从上衣口袋里掏出老花眼镜戴上。

柳大伯说话不紧不慢、很有条理，从谈吐中韩子飞认定以往的他必然是一个非凡的人物。而柳大伯的谈话内容，更是证明了这一点。

1991 年，已经开了一个袜子厂和一个拉链厂的柳大伯听说上海有股票可以买卖，有着灵敏商业嗅觉的他觉得这是一个大机会，于是带着 3 万块钱去了上海，当时买了一些万国证券发售的认购证。这些看似不值钱的小本本，一旦中签，转手就能卖几百块、几千块甚至上万块。柳大伯在股市的第一桶金就是买卖认购证赚的。之后他在上海的一个招待所住下，买了十几股豫园股票，当时的价格是每股 5 000 多元，谁知一个星期后就涨破万元，最后他是以 9 000 多元一股卖掉的。

1991 年在上海炒股票，用 3 万的本金前后赚了十几万，回到湖州后，柳大伯考虑了一个月，最终决定卖掉袜子厂和拉链厂。因为那两个厂一年的利润加起来都不到 5 万，而当时他想投资 50 万建一个大一点的纺织厂，如果靠两个小厂的利润还要好几年才能办成。两个厂总共卖了 7 万，凑足 25 万后，柳大伯又去了上海。

到了上海的证券公司，营业员说要 50 万元以上才能进入大户室，柳大伯就在证券公司门口观察了两天，最后和一个叫李朝晖的朋友把钱凑到 60 多万，两个人合用一个大户室。当时找这个姓李的，主要是因为看他像个老实人，后来这个人发达了，现在在上海滩也算是个人物。柳大伯 25 万元的本金在 1992 年上半年已经超过了 60 万，只是当时柳大伯动摇了，到底是继续炒股票赚大钱还是回去开纺织厂，因为那时开纺织厂的利润肯定没有炒股好，所以柳大伯决定继续留在上海炒股。

就这样到了 1993 年的下半年，柳大伯已经有了 200 多万，当时的股市已经没有 1991 年、1992 年那么好赚，他就想带着钱回湖州办企业。就在这个时候，以前同一个大户室的李朝晖因为炒期货赚了很多钱，有 800 万元左右，想拉柳大伯一起做期货。当时柳大伯还不是很了解期货，但是很羡慕李朝晖能赚那么多钱，他刚开始还是不敢做，观察了一段时间，到了 1993 年底才开始正式参与。当时他参与的主要是国债期货和粳米期货。当时的期货市场是一个投机盛行、庄家博弈的市场，柳大伯主要是跟随江浙的一些超大资金一起做多，逐步吃掉空头的资金。从 1993 年底到 1994 年春节前后，在南方大米现货价大幅上涨的带动下，另外受到国家大幅提高粮食收购价格的影响，粳米期货开始上涨，多头主力趁机发动一波行情，空头节节败退，粳米期货从每吨 1 400 元涨到 2 200 元，柳大伯参与了其中的一部分行情，200 万资金翻了一番变成了 400 万。从此树立了他炒期货的信心。

　　到了 1994 年 8 月，粳米期货的多空双方陷入对峙的僵局，当时在李朝晖的强烈建议下，柳大伯在每吨 2 300 多元的价位做多粳米期货。谁料到了 9 月初，国务院出台政策平抑粮价，粳米期价应声回落，价格连续四天跌停。柳大伯的单子因为是 8 月底才进去的，没有太多的浮动赢利，抗不过去只好尽快砍仓，全部平掉之后资金只剩 50 万左右。其实当时多头联合坐庄的十几个人是说好了绝不平仓的，这十几个人在重要的时刻必须呆在一个房间里，切断所有对外的联系方式，谁都不允许擅自平仓。当时李朝晖也和柳大伯打过招呼不要平仓，但后来柳大伯找不到他，又实在抗不住只好平仓了。4 个跌停板后，坚守阵地的多头主力再次发力，9 月 13 号后粳米期货再次上涨，柳大伯再次追入，赢利一部分之后，市场传言说粳米期货要停牌，于是全部平仓出来，当时资金涨到了 80 万左右。到了 10 月粳米期货果然被停牌。

　　柳大伯经过两三个月的思想斗争之后，决定离开期货和股票市场，回湖州继续做实业。1995年春节回湖州之后，他考察了几个项目，最终还是决定开纺织厂。刚开始办纺织厂的时候，偶尔还会想起股票和期货，半年后就再也不想了，只是一心想把厂子经营好。到了2000年，80万元起家的纺织厂已经做到了700万元左右的规模，2000年前后，柳大伯以生产为辅、贸易为主，更加看重流动资金而不是机器设备，到了2003年流动资金有了2 000万元左右。2003年之后，柳大伯在湖州的一个县城买了一小块地投资了点房地产，也赚了不少。随着两个儿子逐渐长大，并且可以独当一面，2005年，柳大伯决定退休，把企业交给了两个儿子，自己留了一两百万元养老。

退休之后，柳大伯每天只是打打太极、散散步，偶尔也去听听戏。2006年初有一次路过证券公司门口，顺便进去看了看，这一看触发了他埋藏在心底多年的种子，于是又一次进入股市。他回家后在电脑上下载了行情软件和下单软件，花了半个月的时间弄明白怎么操作、怎么看行情，又花了一个月的时间分析了几十只股票，然后小试牛刀买了10万元，结果买进去就赚钱。之后就慢慢投入更多资金，最后投入的本金有100万左右。到了2007年底，股票账户里权益有400万元左右，2008年春节后，逐步减了一点仓。遇到孟泽后，在孟泽的建议下，索性把股票账户全部清掉了，总共拿回310多万元的现金。

之后，柳大伯又回到了打太极、散步、听戏的生活。

到了下午5点，韩子飞想请柳大伯和孟泽一起在附近吃个晚饭，柳大伯说家里的老伴还在等他，5点半他必须回家吃饭，韩子飞也只能作罢。

在回上海的路上，后排的孟泽很快就睡着了，韩子飞则在回味柳大伯的精彩故事，2000年以前中国的股市和期市竟是如此杂乱，而柳大伯在关键时刻的自控能力竟也如此之强。

2008年6月中旬，虽然期货市场中国际原油还处在强势之中，但PTA上涨乏力，并有震荡向下的苗头。东方俊权衡再三之后，决定平掉所有做多头寸，保住1 200多万的利润。

东方俊平掉所有头寸后，制订了观察国际原油走势半个月左右再决定国内PTA期货如何操作的计划。他在会议上说出这一计划时，陈经理和李副总一致反对，他们认为PTA的价格不会下跌，盘整以后还会上涨，东方俊费尽口舌也说服不了他们，最后还是在张总的支持下，才勉强通过了这一操作计划。

7月初国际原油冲高回落，随后的反弹宣告失败，进而连拉三根大阴线，而国内的PTA更是先知先觉，早已盘整下跌了一个月时间。于是东方俊提出可以逐步在0809和0811两个合约上做空套保的计划，在会上张总的指示是尽快执行这一计划，而李副总表示全力支持该计划，只有陈经理沉默不语。

由于华茂五星的PTA销量较好，虽然比其前几个月销路差了一些，但需要做空套保的裸头寸最多只需动用200万左右的保证金。东方俊看着行情跌势已经确立，而账户上还有3 000万资金闲置，心里甚是着急，要是错过这波下跌行情就等于是大量的黄金掉在地上，他有能力去捡却无法行动。于是他又再次建议动用前期的

1 200 万利润以投机的形式做空 PTA，并且建议把仓位主要建立在 0811 合约上，因为 0811 合约比 0809 合约更弱一些。

张总继续支持东方俊，其他人不敢提反对意见，于是他的建议又一次被顺利通过。

东方俊还是比较小心的，他只动用了 600 万资金在 0811 和 0809 合约上做空 PTA。这一次他又成功了。7 月中下旬、8 月份的美国原油持续下跌，中途的两次小反弹均是很小的杂音，下跌之势势不可挡。国内的 PTA 当然也是如此，华茂五星的期货账户又多了 800 多万的利润，东方俊为华茂五星前后两次创造赢利总额已经突破 2 000 万。

"东方大哥，你可真牛啊！"接通电话的第一句，小钟就拍起马屁。

"一般一般，天下第三！"东方俊心情不错，引用当下网络上流行的一句"谦语"对付老部下。

"三个月你已经帮华茂五星赚了 2 000 万了，你这交易水平可是我见过的操盘手里最厉害的了！"小钟继续奉承，"这个账户现在在太华期货已经是一等一的明星账户了，做你的小弟可真长脸啊！"

"太华期货的人怎么都在传这个账户？"东方俊有点不爽，他本想在绍兴平静地干两年，赚够了钱再回上海，没想到这账户才刚刚做就被传开了。

"唉，这年头赚钱不容易，太华的崔总不是可以看得到所有的账户吗？他看到你做得这么好就拿出来和大家'分享'了！他还让其他的经纪人都拿这个账户去忽悠大客户呢！"小钟赶紧把责任推到崔总身上，其实是他自己在传播这个账户，忽悠大客户进来投资期货。

"老崔做得也太过了吧，以前可没这么弄过啊！"东方俊有些不解，"我等一下给他打个电话说一下，让他别这么搞了……"

"哪还需要领导出马啊！"小钟急忙抢过话来，"我现在就在太华，我等一下去一趟崔总的办公室，向他知会一下您的想法就好了。"

"也行。"

"东方大哥，你看那账户都赚了2 000万了，是不是得和张总提一下，先分一分红。"小钟终于说到正题了，"哪怕只分一部分也行。"

"当时不是说好了半年一分吗，我现在提不太合适吧。"

"现在不提，后面有变化就不好说了。"小钟顿了顿，"你想啊，你现在赚了2 000万，他们应该分给你600万，要是再过几个月赚了1个亿了，可要分3 000万呢！到时他们愿不愿意拿出来就难说了！"

"不至于吧。"被小钟这么一说，东方俊心里也有点担心了。

"现在趁着你赢利很好，正是提出来分红的最好时机，如果他们想要赚更多的钱，只有先给你分一点，这样才能把你安抚住。不然谁愿意帮他们干啊！"小钟把早就想好的这个理由说了出来。

"那我找个机会和张总提一提。"

"好，那我等你消息。"

挂断电话之后，东方俊想了想，虽然小钟打电话过来催着要分钱的事100%是为他自己的利益着想，但话又说回来，这钱要是现在不分，以后会有什么变数还真不知道。

张总的办公室里，东方俊和张总面对面坐着。

"张总，目前这账户的操作，套保部分主要是根据公司销售方面的需求来操作的，而投机方面的头寸则是根据我多年来总结出来的一套方法操作的。"已经和张总谈了5分钟，东方俊还没有提到利润分成的事。

"你做得不错。"张总对东方俊颇为欣赏，"东方啊，我在想你可以长期在我们公司干，其他的小账户就不要做了，专心经营好公司的这个账户，我是不会亏待你的，你现在一个月拿5 000的底薪，下个月开始拿1万。另外我打算下个月再拿1 000万加到公司账户里，你可要好好干。"

"好的，我会努力做好。"

"还有，过几天我私人也开一个账户，放2 000万进去，也由你来操作。"

"好。"东方俊没想到张总这么看得起自己，虽然有点受宠若惊，但他觉得现在提出利润分成的事可能会顺利一些，"张总，公司的账户目前赢利2 000万，本来说好是半年分一次利润的，只是最近我老婆想在上海把小房子换成大房子，她是做房地产策划的，那套房子可以拿到内部价，一个月内要是不交定金可能就卖给别人了，我们现在还稍微缺点钱……"

"那就先支给你100万吧，就当是公司借给你的，到时按照利润给你分红的时候再去掉这100万。"

北京奥运之前，股民们都期待着一波奥运行情，可大盘盘整了一个月还是没啥动静，反而从8月8日开始大幅下跌。到了2008

年 9 月上旬，股市依然没有任何转好的迹象，甚至 2 000 点都可能不保。

上次杭州之行的尴尬已经过去很久了，就仿佛没有发生过。唐雨秋和韩子飞两人在工作上配合得天衣无缝，基本上也没有人看得出这两人之间的小疙瘩。是的，没有什么，唐雨秋告诉自己，或许他那天转身就走，只是心情不好，或许他只是累了。

"雨秋，麻烦你帮我整理一下这些数据，辛苦了。"韩子飞突然走了过来，雨秋吓了一跳。这就是韩子飞，对于任何事都是不冷不热，礼貌而又冷酷，仿佛离你很近，突然又离你很远，神秘而又孤独。有几次，她觉得韩子飞已经离她很近，她能感受到他充满关切与温情的目光，那目光里隐藏的话语，她能读懂。可是，没等她开心完，一切又回到了原地，韩子飞依然是那个和她聊工作的韩子飞，就像什么都没有发生过。难道是她在自作多情吗？她很肯定不是。是因为他心中还惦记着前女友吗？怎样才能打开他的心结呢？

最近业务的繁忙让唐雨秋没有太多的时间想入非非。幸好如此，唐雨秋第一次感觉到大脑的高频率运转会让心情变得麻木而快乐，她也第一次发现原来自己也有如此强大的事业心，这一重大的转变是因为韩子飞吗？

而韩子飞每天看着财经新闻，钻研着各种理财系统，认真地做笔记学习，仿佛就算世界末日来临，他也只会考察世界末日对期货的影响。唐雨秋看着韩子飞忙碌的身影稍微走了一下神。

此时，韩子飞正忙着总结前几位访谈的高手的经验分析。时间是宝贵的，不容得他浪费一分一秒。不过，就算在这当口，在他刚刚看到唐雨秋的时候，他感觉到似乎有些不对，那个神情有点相似而熟悉。还有那天在杭州樱花林，他扭头就走，现在想来有点内疚，这样的尴尬要尽量避免。唐雨秋，是个好女人，不，唐雨秋，是个好员工，韩子飞告诉自己。

下午韩子飞如同往常一样闷在办公室操盘，之前买的鱼跃医疗他已在 7 月底减仓、8 月底清仓了，这段时间他实在找不到可以买入的股票了。今天也是如此，虽然花了两个多小时观察一些个股，最后还是没有发现有合适的股票可以买入。

韩子飞快 6 点时才走出办公室，看到披着刘佳妮外套的唐雨秋趴在桌上，边上的废纸篓里满是纸巾。他走过去轻轻地拍了拍唐雨秋的肩膀。

"雨秋，你怎么了？"

唐雨秋抬起头，脸色苍白，勉强笑了笑："我有点冷。"

"你感冒了吧！"韩子飞用手摸了摸唐雨秋的额头，"不行，你还有点发烧！得赶紧回家，我给你买药去。"

"没事的，我回家睡一觉就好了。"

"来，赶紧走吧。"韩子飞扶起唐雨秋，"我送你回家。"韩子飞有一丝犹豫，不过想想，送生病的员工回家，这也说得过去。

现在是下班高峰时间，韩子飞忙活了 20 分钟才打到车，靠在路边的树干上休息的唐雨秋看着韩子飞认真地跑来跑去叫车，心里满是欣慰，自己感冒发烧也早就忘记了。

唐雨秋在韩子飞的搀扶下上了出租车，她挽着韩子飞的手，感觉有点头晕，但更多是幸福。出租车一路塞车，韩子飞心里很急，唐雨秋却宁可车子开慢点。

半个小时后，终于到了康平路上唐雨秋住的小区。

这是韩子飞第一次进唐雨秋的小屋，她的小屋精致而整洁，虽然只是 40 多平方米的一室户，却被沙发、窗帘、桌布等带着小碎花的布艺装点得充满西式的田园风格。这不禁让韩子飞想起广州的小屋，那间他和雪儿一起装饰一起生活的小屋。

韩子飞让唐雨秋换上睡衣先躺下。自己则从冰箱里找到一块生姜和茶叶，把生姜洗干净切成片，再拿少量茶叶和白米放在一起煮粥。然后找到电热壶，装满水插上电。

唐雨秋穿着睡衣靠在厨房门口，微笑地看着忙碌的韩子飞。韩子飞回头看到她，连忙擦干双手，把她推到房间中。

"大小姐，你是病人，你就安心躺下吧。"

"哦。"

韩子飞坐在床沿上给唐雨秋盖好被子，唐雨秋睁着眼睛看着他。

"不要乱动，乖乖躺着。"韩子飞起身的时候看到床头柜上相框中的照片正是今年 3 月他和唐雨秋在西湖边太子湾公园的樱花林下的合影，照片中唐雨秋笑靥如花，自己则黑着脸，一副马上离开的表情。

韩子飞突然很内疚，自己在这个美丽的画面里是多么的煞风景。

"对不起，雨秋。"

"没关系的，你不知道啊，你走了之后，我一个人玩得多么惬意啊。还差点和一个帅哥邂逅呢……"

"雨秋，其实我……"韩子飞看着雨秋故作轻松的表情，突然一阵怜爱，一些话冲口而出。

雨秋停了下来，用期待的目光看着韩子飞。

"雨秋，你知道吗?"

"10年前，樱花盛放的时节，雪儿也带我去过太子湾公园。"韩子飞掏出钱包，拿出一张照片。

同样的时节、同样的地点，甚至是同样的笑容，只是之前照片中的女主人公是蓝雪，而如今是唐雨秋。

唐雨秋看着照片，略有诧异，不过很快又变得开心起来，"我知道。"

"你好好休息吧，我就不打扰了。"韩子飞突然不知道说什么。

"恩，再见。什么时候她可以变成曾经呢?"唐雨秋看着韩子飞离去的背影喃喃道。

投资观小结

韩子飞:

做期货如果没有找到窍门，花再多的时间都只是浪费生命而已，甚至还是毒害生命。

曾三虎:

期货是个可以发财的东西，一做就停不下来。

柳大伯:

炒股票、期货比做实业更能赚钱，但是不可控的风险也更大。

小钟:

客户赚到了钱，就要早点分钱，不然后续亏了就没得分了。

第九章　辉　煌

大鹏一日同风起，扶摇直上九万里。

——李白《上李邕》

绝大部分期货品种的下跌趋势已经确立，韩子飞和东方俊都在做空，但遇到国庆长假，两人有了不同的处理……

在之前三个月的优秀"战绩"之下，东方俊在华茂五星已经颇有地位，张总对他十分器重，其他副总或经理层的人即使有所眼红，不满的话也只能在背后说说，当面的时候都非常客气。

进入9月份，东方俊开始操作两个账户，华茂五星的公司账户又加了1 000万本金，总资金达到了5 000万；另一个账户是张总的私人账户，本金是2 000万，这个私人账户处在保密的状态下，除了张总和东方俊，华茂五星其他人一概不知，连开户都没有选在太华期货，而是选了绍兴本地的一家期货公司。东方俊从未亲手操作过如此庞大的资金，一方面他吸取了之前几次爆仓的教训，时刻保持顺势交易，同时做好严格的仓位管理；另一方面，面对巨大的市场机会和分红可能，他也绝不手软。

PTA 期货行情还是一路下跌，东方俊当然是继续持有空单，两个账户的利润一路上扬，真是要感谢这波 7 月以来的下跌行情。

　　到了国庆前，PTA 的期货价格稍微有一点反弹，不过空头的力量还是很顽强，休市前的两三天又把价格压下去一些。本次国庆股票、期货共休市 9 天，从 9 月 27 日开始休市，一直到 10 月 6 日再重新开市，而外盘在这一期间要多走 6 天的独立行情，这 6 天行情走完，国庆后国内的盘子出现较大幅度跳空开盘的可能性比较大。

　　"PTA 很明显依然处在跌势之中，持空仓过节是必然的选择，只是要不要加仓呢？"东方俊稍微有点犹豫，"华茂五星的账户之前赚了 2 000 万，9 月份又有 1 500 多万利润，张总的私人账户也有了 700 多万利润，按理说加点仓也不要紧，即使国庆后高开高走被迫平仓也不会回吐所有的利润。"

　　"但是如果利润真的大幅回吐，原本能分到的钱岂不是也泡汤了？"

　　"还是保持原仓位比较合适，如果节后下跌还能再赚不少，如果上涨也能灵活处理。"确定持仓策略后，东方俊豁然开朗。

　　韩子飞这段时间操作铜、PTA、白糖、豆粕、燃油 5 个品种颇有收获，虽然仓位不算太大，近三个月也获得了百分之七八十的收益。

　　"下跌的大背景是可以确定的，只是现在操作的资金大部分是朋友和客户的，虽然国庆后上涨的概率很小，但长假的系统性风险还是要充分考虑。"韩子飞不想让客户的资金处在失控状态，"现在燃油表现得最强，豆粕和铜次之，PTA 和白糖依然处在弱势之中……或许，平掉燃油，把铜和豆粕锁仓，只留下白糖和 PTA 的空单过节最为合适。"

2006 年春季就逐步显现的次贷危机，经过两年多时间的传播，没有减弱，反而愈演愈烈。幸好中国受次贷危机的影响微乎其微。但是，2008 年 9 月，次贷危机终于引爆经济危机，雷曼兄弟的破产引发了美国、西欧为主的全面经济危机，众多投行和大银行岌岌可危。这场危机被众多经济学家称为百年一遇的"金融海啸"，而这场海啸的爆发时点，恰好是中国国庆休市的这几天。

就在这一个星期的时间里，美股暴跌，欧洲股市、港股暴跌，纽约、芝加哥、伦敦、东京的商品期货全线暴跌。

10 月 6 日，国内大部分期货品种打到跌停板几乎没有悬念，有悬念的只是不同的品种能有多少个跌停板出现。

10 月 6 日开市后，国内期货市场一片恐慌，空头乘机大发威力，多头全线崩溃。沪铜连续 5 个跌停板，第 3 天停板虽被撬开，但在一片悲观的气氛中最后还是以停板收盘，第 6 天短暂反弹后，第 7 天开始依旧全面下跌。到 10 月底，沪铜已从国庆前的每吨 53 000 多元，跌到 32 000 多元，跌幅如此之大，历史上从未见过；燃油虽然比铜要强一些，但也是一路下跌，到 10 月底，价格从每吨 4 200 多元跌到每吨 2 800 多元；豆粕是前期连续 3 个跌停板，持续下跌到 10 月中旬才逐步稳住，到 10 月底，价格从每吨 3 400 多元跌到 2 700 多元；PTA 第 1 天跌停，虽然第 2 天强势反攻，之后一个星期反复震荡，但是在大部分品种暴跌的情况下，还是不能幸免，最后还是以暴跌收场，到 10 月底，价格从每吨 7 100 多元跌到 4 800 多元；白糖算是最有个性的品种了，因为它受外盘的影响小，虽然第 1 天是跌停，但第 2 天开始就强势反攻，到 10 月底，价格从每吨 2 700 多元跌下去又回到 2 700 多元，最终还涨了几十个点，并且在 10 月 20 日突破过每吨 2 900 元。

期货市场的多头几乎被全部剿灭，短时间内除了少数品种，新的大多头不可能一天两天就冒出来，因此行情继续下跌的可能依然存在。

A 股市场也是一片暴跌，节前的一波小反弹就像是骗人进场一样，节后大盘迅速下跌，到 10 月底，上证指数从节前 2 300 多点跌到 1 600 多点。至此，A 股市场从 6 124 点跌下来，跌幅已经突破了 70％，比经济危机的发生地美国的股市跌得还多。有些专家指出，没有股指期货的中国股市缺少了一个替代性的风险释放场所，所以涨起来厉害，跌起来更厉害。当然股市中最吸引人的新闻除了指数的暴跌以外，还有被称为"中国资本市场最后一个金融大佬"的卫西跳楼自杀了，这位曾在 20 世纪 90 年代和新世纪初的资本市场叱咤风云的人物就此陨灭了，真是"成也萧何，败也萧何"。

这样的风暴最是考验操盘手，东方俊和韩子飞都严阵以待。因为其他工业品都处在暴跌之中，所以当 PTA 节后第 2 天大幅反弹时，东方俊没有平仓或减仓，他坚决持有节前的头寸，在下跌过程中有些头寸被交易所协议平仓了，他就在当天找机会把空单补进去，只是因为成交量太少没法全部补进去。如此一来，到了 10 月底，他操作的两个账户在 10 月份一个月就赚了 80％多。华茂五星的账户已经突破 1.17 亿，张总的私人账户也涨到了 4 900 多万。

在华茂五星，东方俊几乎成了异类，因为 PTA 的销售价格已经跌破成本价，现货是卖一顿亏一吨，而且仓库里的库存也堆积如山了，价格越是跌越是没人买。整个华茂五星，除了东方俊一个人在赚钱以外，其他人干的几乎都是亏本的事，东方俊做期货这么多年，突然有了一种从未有过的超级成就感：他操作两个账户的累计赢利已经过亿了，天下有几人能做到？

李副总和陈经理更是不敢轻易出办公室，生怕碰到张总或东方俊。

韩子飞一方面庆幸股票账户没有持仓，另一方面又非常遗憾，因为他节前把燃油平掉了，又把铜和豆粕锁单了，留的只是 PTA 的空单和白糖的空单，节后白糖又赚不到钱，这样一来，就错过了较高的利润。

不过幸好后续还有机会把燃油空单补进去，铜和豆粕也在适当的时候解了锁，整个 10 月份韩子飞也获得了超过 30％的利润。

"韩哥，我们今年的总利润应该会突破 200 万吧！"唐雨秋高兴地算了算 2008 年的账。

"如果行情没有大的变动，会有这个数字。"韩子飞略想一下，舒服地靠在椅子上。

"我当时买辆车很英明吧，"唐雨秋炫耀起来，"像样的公司肯定需要一辆像样的车子嘛！"

"……"

"我还给你在驾校报了名，钱都已经交了，以后你每个周末去学车。"唐雨秋坏坏地笑了笑，"等你熟练了，我就不用做你的司机了。"

"……"

论坛那边的业务也在稳步进行，最近，唐雨秋又通过论坛上一个 ID 为"皇城炒客"会员的介绍，约到了居住在北京的套利高手史良辰，这位可是国内做套利、对冲最牛的"个体户"。

"韩哥，史良辰那边约好了是在 11 月初深入聊一聊，然后做一个论坛专帖。"唐雨秋专门找韩子飞商量具体的时间和采访的形式。

"时间上没问题，但是他人在北京，我们在上海，要怎么采访呢？"

"有两种形式吧，要么我们通过电话录音的形式，要么我们过去北京一趟。"唐雨秋多么希望韩子飞选择后一种，因为她除了七八岁的时候随父母一起去过一次北京外，已经 20 年没去了，皇城的气息对她来说已太过朦胧，这 20 年里北京的变化多大啊，奥运会也刚在北京举办过，这会儿鸟巢可是中国最知名的旅游景点了，以前是"不到长城非好汉"，现在是"不看鸟巢非华人"。

韩子飞思考了片刻："我们还是专程过去一趟吧，你今天就订好我们两个人来回的机票。电话采访无法深入，也看不到对方的表情，很难把握节奏，另外和套利高手见个面认识一下会更好一些，说不定还能学到不少东西。"

"我这就去订票！"唐雨秋开心极了。

到首都国际机场已是晚上 8 点，韩子飞和唐雨秋打车到东三环和东四环之间的国贸商圈，史良辰办公的地点就在国贸的 SOHO 现代城，是潘石屹盖的房子，在北京挺有名的，中央电视台和北京电视台都在那儿附近。

都说北京的司机特别能侃，也很热情，唐雨秋在出租车上就问司机一天半的时间在北京该去哪里玩，司机一听口音就知道他俩是江浙一带的人，推荐他们首先去看一下八达岭长城，然后是鸟巢和天安门，还有时间的话就去参观一下故宫。这位司机哥们就这样一路聊下来，从北京奥运会我国拿的那些金牌一直聊到小布什和奥巴马如何交接，以及奥巴马这位黑人总统会给世界带来什么……

40 多分钟后，出租车到了国贸商圈，唐雨秋让司机找一个离 SOHO 现代城比较近，又相对便宜的酒店，司机把他们载到西大望路甲 12 号飘 HOME 连锁酒店。

一听"飘 HOME 连锁酒店"这名字，就让人想到这是定位为"北漂之家"的中低价酒店。飘 HOME 是一栋五层楼的红房子，整个酒店的感觉挺像如家，在这样的地段算是相当便宜了，唐雨秋要了一间大床房，暗暗地感谢那位热情健谈的的哥。

第二天上午，韩子飞和唐雨秋来到 SOHO 现代城史良辰的办公间。这是一套商住两用的复式房子，一楼是办公大厅、两个独立办公室和一个会议室，二楼是一个超大办公室和一个小一点的办公室。当然，那个超大办公室是史良辰的，整体感觉就像电脑的展示厅，办公桌上有一台笔记本电脑、两台台式电脑，身后是一个书柜和一个细长台，细长台上放有四台笔记本电脑。里面的办公桌椅、沙发茶几、书柜等都是现代欧式简洁型的，因为是顶楼，办公室外面还有一个 20 平方米左右的大露台，整个办公室显得特别空旷、明亮。

本以为史良辰是北方汉子，见了面才发现他个子不高，皮肤又比较白，问了才知道原来是江苏常州人，只是在北京时间长了，说话带着一口京味儿。

史良辰毕业于浙江大学经济学院，毕业后留在杭州工作，在一家期货公司做分析师，两年半的时间做到了研究部的副经理。他喜欢杭州，杭州有他眷恋的山水，还有大部分的朋友。只是女朋友田红是北京人，她浙大毕业后就回北京工作了，和很多北京人一样，骨子里她也是看不起北京以外的任何城市。史良辰在杭州耗了三年，没有把田红忽悠回杭州，只好自己北上了。到了北京，史良辰一开始也是在期货公司上班，后来发现自己做交易比做分析师更能赚钱，就慢慢地自己干了。

史良辰以前做投机的时候也很猛，收益率最高的时候曾一年翻80 倍，也就是 10 万做到 800 万，这基本上就是他在期货市场赚到的第一桶金了。但后来随着自己的资金和管理的资金越来越多，他逐渐厌恶了单边投机的不稳定性以及某些系统性风险的不可规避性。现在，史良辰只做套利交易和对冲交易，他是分析师出身，对基本面比较敏感，针对一些宏观数据和商品供求信息会有自己的分析方法，并形成自己的观点。目前他不但做同一品种不同合约之间的套利、同一品种不同交易所之间的套利，还做期货与现货的套利，另外还有一些买强抛弱的对冲交易。

"那你现在在某些特定的行情有没有再做一些单边投机呢？还

是彻底放弃了单边投机?"韩子飞有点不相信史良辰能够做到每一笔单子以套利或对冲的形式进出。

"当然了,我已经完全杜绝了单边投机交易,所有的单子必须'套着做',不然心里不舒服。"史良辰非常肯定地回答,"我现在即使投资股票也会'套着做',比如我在香港股市买入几只强的股票,然后我抛空恒指期货,用这样的形式对冲风险。目前国内的股市还没有做空机制,因此我就没有参与了,以后股指期货上市,我也会适当关注,在时机成熟的时候我会参与。"

"那么,上个月的国庆行情你是怎么处理的呢?"韩子飞认为如果史良辰节前没有把套利的单子平掉,可能节后会出现难以控制的局面。

"我做套利,就是为了规避风险,既然是规避风险,那么像国庆长假这样的风险我当然会规避了。第一,我节前把没有把握的单子全部平掉;第二,我还有跨市套利,就是跨内外盘的套利,这一部分是有赢利的;第三,当国内的行情走到 10 月 10 号的时候,某些品种的强弱明显分化开来,这一部分做的对冲交易也是赢利的。"

"2008 年截至目前你大约的赢利水平如何?"

"今年运气比较好,品种的价格波动比较大,所以套利的收益也不错。"史良辰顿了顿,似乎心里在计算,"今年到目前为止收益已经突破 50％了,以往每年都是 30％~50％之间。"

"那最大回撤是多少呢?"韩子飞认为 50％的收益已算不错,关键是亏的时候问题大不大。

"我所遇到过的最大回撤,应该没有超过 5％的。"史良辰略有自豪地回答。

真是厉害！韩子飞暗自惊叹。

天下之大，无奇不有，居然还有史良辰这样的交易高手，韩子飞算是见识了。看来他以前对套利的认识太狭隘了，这一次和史良辰深聊之后，他对套利产生了较大的兴趣："单边投机很难解决系统性风险，而且对资金规模也有一定的限制，看来我也应该研究研究套利对冲的赢利模式。"

当天下午，韩子飞和唐雨秋按照那位的哥的建议，参观了鸟巢，傍晚的时候去了天安门，唐雨秋买了一堆纪念品说是要送给刘佳妮和曾三虎还有一些亲戚朋友；第二天他们去了八达岭长城，这是韩子飞第一次到长城，看到这条"中国龙"在青山之上蜿蜒漫游，"龙头"在蓝天与青山的交界处抬起，苍茫与宏大覆盖了大地，韩子飞由衷感受到以前只在课本中朗诵的话语：中华民族的确是一个伟大的民族。

晚上，韩子飞和唐雨秋飞回上海，一个带着深深感怀，一个带着大包小包。

2008 年 11 月，经过一个月疯狂下跌之后，PTA 期货价格有所企稳。

万秦证券的"股票期货实盘争霸擂台赛"在"期股争霸论坛"的推广之下，参赛人气极旺，万秦的人说参赛人数破了以往所有大赛的纪录，而且第一个季度的冠军也诞生了，3 个月 22 倍，这一新的财富神话被各大媒体和网站炒得沸沸扬扬。看来，有些参赛选手趁着国庆节的大行情猛干了一把。

韩子飞初步算了一下，2008年整个公司的费用全部从论坛的收入里支出后，论坛还有10多万的利润，刘佳妮这小姑娘还蛮会做营销的。而唐雨秋则接到一个电话，说是要买下"期股争霸论坛"。那人愿意出价50万~100万，买过去之后主要用于股票和期货会员的发展，还说从会员身上赚的钱可以分30%给唐雨秋。

"第一，这种靠发展会员的公司90%都是骗人的，肯定不能卖给他们；第二，既然有人主动要买论坛，说明论坛的影响力越来越大，它的价值已被很多人认同；第三，从目前论坛的营收和将来的发展来看，即使要卖也至少卖个300万以上。"韩子飞对有人要买"期股争霸论坛"发展会员这一事件发表了三个观点。

11月中旬，PTA筑底后开始反弹，到了11月下旬，东方俊为防出现较大的反弹，把两个账户的仓位逐步平光。到了11月底，东方俊已到华茂五星操作期货半年，是时候提出利润分红了。

"张总，华茂的期货账户我已经做满半年了，总的利润8 000多万，您看我这边的分红是否……"

"我正要和你说这个事呢？"张总面带笑容，"前两天，公司总经理会议上，有人提出期货赢利8 000多万，如果按照30%的利润分给你，那可是2 500万啊！有副总认为分2 500万不合适。"

东方俊没有说话，其实他早就预料到类似的情况，只是到底能分到多少呢？

"最后我和他们说：'做事情不能出尔反尔，既然当初答应除了套保收益以外的投机收益的30%要分给操盘手，那么就不能不算数!'"张总还是面带笑容地看着东方俊，"后来我算了算，当时我们真正用于套保的资金其实不多，大部分的头寸是投机头寸，所以至少应该分给你2 000万。"

东方俊终于松了一口气，心里一方面在猜那个副总是不是李副总，另一方面则特别感激张总。

"因为你之前提前拿过100万了，所以这次就拿1900万吧。"

"多谢张总!"

"另外我的那个账户，虽然还没到半年，但我觉得你做得很不错，到目前为止已经有2 800多万的利润了，我看就先把那800多万分给你，刚好是利润的30%，剩下4 000万再重新开始做。"

"这不太合适吧?"东方俊从未遇到过如此大气的老板，"还是等到做满半年再分吧，要是后面的行情不好，4 000万亏掉一点，那我分800多万就多了。"

"亏了算我的，赚了你还是有得分。就这么定了吧。"

分到了大笔资金的东方俊，看着期货PTA近期没有太大的操作机会，于是在会议上提出新的期货交易方案。他认为最好空仓一个月，国庆以来的这一波下跌肯定是跌过头了，目前的盘面也基本可以明确是见底反弹，但现在还不急着做进去，因为反弹会不会持续、反弹的力度有多大都不好说，而且整个世界的宏观经济面也看不懂。

对于东方俊的这个提案，李副总和陈经理居然表示同意。陈经理提出："目前公司的现货库存太大，而且市场价格已经远低于成本价，幸好10月底在张总的决策下我们陆续进了一大批原料，这批原料都是以超低价格买的，对我们以后的生产很有帮助。不过现在公司销售很疲软，资金回收很慢，期货方面最好不要再占用较大的资金。"

"现在董事会的意思是再进一些原料，但是我们已经没有更多的闲余资金了，我想投资期货的那笔钱刚好可以动一动，拿出来买原料，这段时间原料还是处在超低的价格，现在买肯定合算。"李副总接着说。

张总同意把投资期货的资金调出来用于购买原料，并且给东方俊批了一个月的假期。

从华茂五星分到的1 900万是要交税的，这税一交一下子少了380万，剩下的1 520万还要分给小钟40%，这一笔可是600多万，600多万啊！其他的期货经纪人干一辈子都赚不到这么多钱，可真是便宜了小钟那小子！不过行规还是要遵守的，既然是小钟介绍的客户就应该分给他，只是这小子忒黑心了一点，居然要分40%。

张总私人账户赢利中分到的800多万当然不用分给小钟了，这账户和他没有关系。这么一来，东方俊共进账1 700多万。

投资观小结

东方俊：
面对长假机会，在有利润的情况下，可以搏一搏。

韩子飞：
任何时候，都不能让客户的资金处在失控状态。

史良辰：

随着管理的资金越来越多，就会厌恶单边投机的不稳定性。

杜绝单边投机交易，所有的单子必须"套着做"，不然心里不舒服。

第十章　放　荡

> 富贵不能淫
>
> ——孟子《滕文公下》

2008 年 11 月，在中央的 4 万亿经济刺激计划发布后，股市小幅反弹，但进入 12 月后，又陷入了盘整。2009 年，股市能彻底走出熊市吗？

拿着这 1700 万回到上海，东方俊觉得自己的时代终于开启了。当年从广州来到上海，从做期货研究到期货业务，再到期货操盘，虽然曾经小有成绩，但几经沉浮后依然"一贫如洗"，很多远大的梦想无法实现。而如今有钱了，总该做点什么。

东方俊做的第一件事就是往白灵的银行卡上打过去 200 万，然后顺便把曹万庭那亏掉的钱也还了。

在绍兴的这 6 个月，东方俊太想白灵了，现在回到上海了，他多么想尽快见见白灵，希望她已经消了气，希望自己能够回到家里去住。可是，东方俊打了无数次电话，白灵都没有接。最后只好发短信给她：灵儿，我已经从绍兴回到上海，200 万已打到你工行卡上，还给你父亲，曹万庭的钱我也还了，我想见你一面，可以吗？

白灵回短信说：谢谢你还了钱，我们还是不要见面了。

看到白灵的回应，满腔的热情顿时泄了气，东方俊只有继续住宾馆。老是住在宾馆里也不是办法，既然有钱了就该好好享受。东方俊先是买了一辆奔驰 S350，花去 100 万，然后在三林、碧云、佘山、赵巷、虹桥等别墅板块看了十来个别墅项目，最后决定在佘山买一套总价 1 500 万的别墅，首付加一些契税啥的花去 600 多万，2009 年 1 月份交房后装修估计也得花 100 万以上，真正住进去可得春节前后了。

东方俊心想，所谓富人的生活也就如此了吧。曾经还和韩子飞规划着 8 年实现富裕生活大计呢，如今自己倒是还算轻易地步入了，韩子飞呢？

从北京回到上海后，韩子飞打算开发出一两个套利交易系统。但他觉得传统的套利思路有一定的局限性，比较死板，而且资金回收周期较长，从交易风险的角度来说也未必能降低多少，而史良辰的套利和对冲交易手法很多时候是加入他个人灵感的，一般人又研究不透、模仿不来。所以韩子飞转向寻找周期较短的套利对冲方法，一方面周期一短不可控的风险就越少，另一方面短周期的套利对冲目前研究、操作的人还比较少，可能效果会比长周期更好，因为市场是有免疫力的，类似方法用的人多了，效果就会大大降低。不单是套利对冲的方法，单边投机的方法也是如此。

通过半个多月的研究、分析、统计和验证，韩子飞开发出两套短周期的套利对冲交易方法，一套是跨合约日内对冲系统，另一套是跨品种隔夜对冲系统。用历史数据测试的情况是，隔夜对冲系统效果略好于日内对冲系统，两套系统每年的收益在 15％到 35％之间。虽然收益都不算高，但统计下来最大的回撤也只有 8％左右，因此还算是比较好的交易系统，只不过和史良辰的相比还是差了一大截。

不管怎样，这两套对冲方法对于风险承受能力较小、年回报率要求较低的资金来说，也是可以考虑采用的交易模式，于是韩子飞决定先用 20 万左右来实盘测试这两套系统。

股票方面，韩子飞还是保持清仓状态，但他的基本判断是 2009 年应该是反弹的一年，至于能涨多少，还要取决于市场流动性能释放出多少，还有就是整个世界的经济环境是否会改善。在这样的基本判断之下，韩子飞关注了一些股票，比如海王生物（000078）、中恒集团（600252）。

虽然有些股票已经可以买入了，但他还是想再等一等。

东方俊吃喝玩乐潇洒了几天，又一次从酒精中清醒过来，突然发现很空，整个世界都很空。回到上海后，很多人他不想见，但似乎还有几个人需要见个面，有些事还需要聊一下。

东方俊把电视设为静音，拨出电话。

东方俊？看到来电显示，韩子飞有些许惊讶，这位"失踪"的人物又出现了。

"你好。"

"老韩啊，我是东方。"

"你好。"韩子飞琢磨着东方俊此次打来电话的目的。

"我前段时间出差了，刚回到上海，有空的话我们见个面吧。"

"呃，可以啊。"不管他这次见面的目的是什么，韩子飞也想见见东方俊，了解一下这位老同学的近况。

"你还住在新华路吧？要不还是在新华路那家唯尚咖啡？"东方俊记起那家咖啡厅环境还不错。

"好的，你哪天比较方便？"

"就今天吧，我现在开车过来，一起吃个晚饭，然后喝茶聊聊。"

虽然和陈老板的合作因为东方俊的大亏而泡汤，韩子飞心里对东方俊这个人很是失望，但事情毕竟已经过去，而且现在新公司的运作也不错，看到老同学重新崛起，而且赚了不少钱，他还是比较欣慰的。说实在的，韩子飞还有点羡慕东方俊在绍兴的经历，毕竟不是每一个操盘手都有这样的机会，更不是每一个高手都能在短时间内赚到这么多钱。

"前几天一个朋友推荐我看一个关于股票、期货都做得很好的，叫邵高林的高手的帖子，我点开一看，这不是'期股争霸论坛'吗？没想到你们把论坛做得这么好！"

"论坛主要是唐雨秋的功劳，说来还要感谢你把她引入公司。"韩子飞特意强调了这一点，希望能让这份感激消散他隐在心底的埋怨和最后一丝恨意。

"我培养出来的人错不了吧！"东方俊略有得意，"对了，这次我找你见面，除了闲聊，还有一件正事。"

东方俊把随身带的背包提起来放在腿上，打开后拿出一个塑料袋放在桌上："当时帮你操作账户亏了点钱，再加上公司房租、家具啥的损失，我应该负一定的责任，这里是 15 万，你拿去吧，算是一点补偿。"

韩子飞原本就觉得有点奇怪，怎么东方俊今天会背个这样的包过来，这下放了 15 万在桌上则突然有了一种压迫感，他也说不清楚这种压迫感是来源于毫无心理准备还是潜意识的对比落差。

"不用了吧，做任何事都有风险，当时我是主要发起人，我承担损失是应该的。"韩子飞回过神来，平静应对。

"你还是拿去吧，我也该承担起我的那份责任。"东方俊把塑料袋一推，尽量让自己的眼神显出坚定和诚恳。

这是一股善意却凶猛的气势，韩子飞没有抵挡，也无须抵挡。

"那这样吧。"韩子飞打开塑料袋，拿出 6 叠钞票推到东方俊面前，然后把塑料袋拉到自己面前，"我算了一下，当时你操作我的账户亏了 9 万左右，这一部分你来负责是合理的，至于房租和家具的一些损失，就算了，有些东西我们现在还在用呢，也算不上损失。"

韩子飞拿着 9 万块回到住处，心里不免有些自嘲，自己似乎被善意地奚落了一回。

期海沉浮，财富得失，把往日的东方俊变成今天的东方俊，在韩子飞眼中，如今的东方俊似乎越来越看不懂，越来越陌生了。不过东方俊赚了钱还能想着这码事也算不错了，祝这位兄弟一路走好吧。

小钟分到 600 多万之后，开始放荡起来，KTV、酒吧、高档会所、地下红灯区，一帮狐朋狗友玩得不亦乐乎。不过小钟还算是个知恩图报之人，知道东方俊住在宾馆回不了家，每次出去玩都会先邀请东方俊，只是东方俊不喜欢喧闹，每次都拒绝。

这天小钟专门找了一家以"静"而出名的酒吧，再次邀请东方俊。

"东方大哥，今晚请你去一家'静'酒吧。"

"酒吧哪有什么安静的，都吵得要命。再加上你那帮狐朋狗友……"

"这回只有我们两个过去，我保证那是一家安静的酒吧。你过段时间又要去绍兴了，这次就算是小弟专门感谢你。"

"行啊，那就去吧，在哪里的酒吧？"该见的人都见了，该了的事也差不多了了，白灵还是不愿意见他，东方俊也正想找个地方喘口气。

"那我现在开车去接你吧。"小钟还想秀一下新买的保时捷。

"不用了，现在酒后驾驶查得很严，我们都打车过去吧。在哪条路？"

"衡山路。"

这确实是一家安静的酒吧，暖气开得很足，灯光昏暗，音乐柔和。人不少，各种肤色都有，都在轻声交谈，一般都是两个人、三个人或四个人一桌，有些人面露微笑，有些人神色暧昧。两个衣着几近透明的老外，一男一女在高台上表演贴身瑜伽。

小钟要了一瓶 Johnnie Walker，两人加了冰块小口对饮。东方俊没太在意小钟说些什么，他观察着这个酒吧的年轻男女，发现不时地有陌生人互相搭讪交谈，每隔一段时间还会有一对一对男女相拥离开酒吧，在这里似乎每一张安静的脸背后都隐藏着蓬勃的欲望。

小钟看到东方俊心不在焉的样子，便借口去洗手间。

洗手间里，小钟发了一条短信："可以过去了。"

隔着三张桌子，两个性感而衣着暴露的女孩正在和两个老外轻声交谈，其中短发、戴着一对大耳环的女孩收到短信后，给另一位烫着卷发的女孩看了短信内容。于是两人站了起来，对两个老外说："对不起，我们要去找那边的两位先生，下次再和你们聊。"

两个老外满脸遗憾，快到嘴的美味，跑了。

"帅哥，请我们喝杯酒好吗？"两位美女拿着空酒杯微笑地站在东方俊和小钟面前，半露挑逗之色。

"当然，请坐。"小钟为两位美女倒上酒，加好冰块。她们便分别在东方俊和小钟边上坐下。

"我叫 Apple。""我叫 Orange。"

"我叫青蛙哥，他叫白马哥。"小钟抢过来应对。

起初东方俊还略有新奇，交谈 10 分钟后，他觉得 Apple 和 Orange 除了低俗的美艳以外没有任何吸引人的地方。也许小钟是出于好意，但他确定今天来错地方了："对不起，我还有点事情，先走了。"

小钟急忙跟了出来。

在酒吧门口，东方俊拍了拍小钟的肩膀："多谢了，小钟，这样的女人太……我还不习惯，我先走了，你玩得开心点。"

东方俊上了停在酒吧门口的出租车。

"看来今天我又要 Double 了。"小钟耸了耸肩，再次走进酒吧。

"东方大哥，那天不好意思，让你扫兴了，今天我请你到全上海最高尚的地方吃饭作为补偿。"过了两天，小钟又打电话过来。

雍福会，位于上海市中心的永福路，这是上海的领馆区，雍福会的主楼原本就是英国领事馆，不过现在整个雍福会是一个开放式的私人会所，她的主人是汪兴政。通过四年多时间的策划和改造，汪先生把雍福会变成了全上海最具魅力的花园餐厅，同时把自己收藏的近千件艺术品和古董陈列其中。这家全国知名的顶级会所，时不时会有明星、大腕、富豪、名流光顾，消费动辄成千上万。

雍福会，就像时空博物馆，在这里，富人们可以邂逅上海曾经的奢华与浪漫。

对于雍福会，东方俊早有耳闻，今天他终于来到这个上海富人圈里最受欢迎的会所。雍福会像是一处大隐于市的家族宅院，这里的一花一草都被精心栽培，建筑内外的每一个细节都被赋予文化内涵。在室外，园林和流水恰到好处地与回廊共生；在室内，贵族的暗黄色系主调不多不少地配以些许明快的点缀。在这里，富贵有一种咄咄逼人的气势，东方俊不敢怠慢，在服务员的引领下小心翼翼地走进主楼的餐厅。

或许还没到吃晚饭的时间，餐厅内客人很少，东方俊一眼就看到向他招手的小钟。

"你小子也开始玩高尚、玩情调了？"东方俊坐下后半褒半贬地对小钟说。

"这不是为了向您表示无限的诚意和庞大的爱戴嘛!"小钟不无得意地回答,"我前几天花了两万块办了一张金卡,以后招待像您这样的大人物可以到这里来。"

"我看你是来显摆的。"

"就算是吧,说不定还能钓到大客户,或者大美女。"

正说着,就有一大美女出现了。

她轻灵而优雅地从窗外走过,虽然是冬天,从侧面看,依然曲线玲珑。东方俊顺着小钟的目光看去,大扣子、简约的米黄色外套落到膝盖上方 15 厘米,束腰宽腰带,点缀着金属配件的高帮靴,雕塑般细长的腿。她走进餐厅,到吧台和服务员轻谈了几句,正准备离开。

小钟冲了过去:"Hi,苏春晓,真巧啊。"

"钟明,你好,你也在啊。"苏春晓含笑应答,泛起两个酒窝。

"我和朋友过来吃晚饭,要不你也一起?"

"我刚吃完下午茶,正准备回去。"

"晚上没特别的事就一起吃饭吧,我介绍我老板给你认识,期货王子东方俊。"

苏春晓顺着小钟指引的方向看去,东方俊正若无其事地品茶、欣赏窗外的巧致风景。

两人一前一后向东方俊走去,东方俊起身相迎。

"这位是东方大哥,期货圈的财富方向。"

"这位是苏春晓,'Super 歌声'的全国亚军,现在是自由歌手和广告明星。"

身材曼妙的苏春晓比小钟还高半个头，东方俊估计她不穿鞋应该只比自己略矮几厘米。在小钟的示意下，苏春晓清雅地坐下，把棕黄色的小包放在腿上，双手放在小包上。乌黑的长发配以齐眉的刘海，白皙的皮肤微微泛红，细致而挺拔的鼻子和薄嘴唇相互呼应，细眉毛点缀闪烁的大眼睛，睫毛和眼影恰到好处，不像那天的Apple 和 Orange，苏春晓没有刻意摆弄的痕迹，却顿生妩媚。

"早有耳闻，你比电视上更美。"东方俊突然记起在电视里看到过一个洗发水二线品牌的广告，广告的主角就是苏春晓。

"你好，东方大哥，很荣幸认识你。"

"东方大哥是金融界的年轻才俊，是我的偶像，手里运作几个亿的资金，动动鼠标年收入就达到几千万。""苏小姐可是新生代的歌坛明星，现在好几家唱片公司争着和她签约，还有两三个知名电影导演正为她量身设计剧本呢。"在小钟的吹捧下，气氛很融洽，晚餐很愉快。

雍福会中名流的身影持久璀璨，但水晶灯下没有不散的宴席，离别的时刻虽有不舍，也只能优雅地目送。

临行前，东方俊留了名片给苏春晓，苏春晓也把手机号码给了东方俊。当然，表面上最开心的还是小钟，因为他是整个故事的导演，而且这个故事才刚刚开始。

这是一位远看文静、近看柔美的女子，虽然眼神中似乎有一点邪气，但邪得很美。东方俊惊讶地发现除了白灵，居然还有女子能拨动他的心弦。他叼起一根烟，自从他去绍兴操盘以后烟瘾就越来越大，现在每天至少要抽一包。打开手提电脑，上网搜索苏春晓的新闻和图片，不同的服饰和装扮下他看到的是同一张笑脸、同一对略带邪气的眼睛。这位苏春晓，除了气质上比白灵略差一点，其他方面似乎都美妙绝伦，难道我真的心动了？

三天后，东方俊还在回味苏春晓的眼神和容颜，正想着要不要打电话约她，苏春晓的电话就来了。

"苏小姐，你好。"东方俊稍微有点紧张。

"东方大哥，你今晚有空吗？"苏春晓的声音有些伤感。

"有啊！"

"今天我心情很差，能陪我喝点酒吗？"她的语气已略带哀求，真是惹人怜爱，难以拒绝。

"你怎么了？我去找你吧。"

"我在华山路希尔顿酒店二楼随园的 8 号包厢，我等你。"

东方俊见到苏春晓的时候，饭桌上的七八个菜基本上没有动过，却摆着两个空的红酒瓶。苏春晓红着脸、带着几分酒意，妩媚和颓废夹杂在笑容中，东方俊一进门就被爱慕与怜惜的情愫占领了。

苏春晓给东方俊倒了杯红酒："第一次和东方大哥单独喝酒，一定要好好干几杯。"

东方俊看着苏春晓似有几分醉意，但也不好拒绝。三杯下肚后，东方俊看苏春晓已基本醉了，就劝她不要再喝，但苏春晓执意倒酒，东方俊只好抢过酒瓶。

苏春晓突然抿嘴抽噎了起来，东方俊不知所措。

"东方大哥，我有些歌不想唱的……可是我没法唱，唱自己喜欢的歌……"

苏春晓断断续续地说了一些语无伦次的话，好像是签约的唱片公司拿了广告费的大头，而且不让她唱自己喜欢的歌曲，非要唱一些所谓的流行歌曲，还逼着她与谁谁谁暧昧来传绯闻自我炒作。

东方俊没有去想为什么苏春晓会向他倾诉，只是感觉她活得很累，在表面的光鲜下承受着常人难以想象的委屈。

东方俊拿起纸巾递给苏春晓，苏春晓趁机倒在他怀中。东方俊先是一惊，然后轻轻安抚她的背，一股冲动、欣喜涌上心头，虽然夹杂着一点胆怯和自责，但基本可以忽略不计了。

苏春晓确实醉了，把她送回家恐怕很麻烦，直接让她在希尔顿住下是最合适的。于是东方俊先到前台开了一个房间，然后回去扶着苏春晓出去。苏春晓整个人瘫在东方俊身上，虽然是冬天，肢体接触中还是难免碰到敏感部位。东方俊一方面开始想入非非，另一方面又想早点把她安顿好尽快离开。理智和冲动，在东方俊的大脑中互相冲撞。

终于到了房间，这是一间豪华大床房，希尔顿的客房和普通的酒店相比，除了面积大很多之外，装修的品质也不可同日而语。东方俊还是第一次住希尔顿这种档次的酒店。

东方俊深呼了一口气，自我调适了一番；帮苏春晓脱去外套和靴子，让她平躺在床上，然后给她盖上被子。闭上眼睛的苏春晓更加迷人，长长的睫毛、泛红的脸、湿润的双唇，偶尔还会喃喃细语。

东方俊再次陷入思想斗争中：我完全可以趁机占有她，反正是酒后，反正是她自己找我来的，反正……不管这么多了，这么大一美人，这么好一机会，非要做君子吗？可是，眼前的这位可人儿我还不清楚底细，就这么上了，后面不知道会有多少麻烦事。对了，还有白灵……

东方俊已不敢也不忍心再看她的脸，为她倒一杯水在床头，给她把被子盖好一点，黯然而无奈地起身离去。

"东方大哥，你别走。"苏春晓睁开眼睛，一把抓住东方俊的手。东方俊回过头来，被她那还含着些许泪花的伤情的双眼瞬间征服。

"今晚留下来陪我吧。"拉过东方俊的手，放在自己胸口，苏春晓羞涩地说。

东方俊终于克制不住几个月来隐在心底的欲火。

激情燃烧吧！

就算是和白灵在一起，东方俊也从未如此卖力，如此壮猛。饥渴已久的身体突然释放，给自己带来无限的快感，更给对方送去十分的满足。苏春晓不断地呻吟着，手指紧扣东方俊宽厚的肩和背，嘴角的笑意浮现，或许这是她最畅快的一次。

筋疲力尽后，依偎着睡去。

黄昏的珠江凉风习习，意气风发的东方俊穿着牛仔裤、白T恤，漫无目的地沿江散步。天色仍未全然暗去，而珠江两岸的华灯已经点亮，江面光影流溢。

前方，迎面走来一位长发女子，粉色的连衣裙和乌黑的长发随江风飘舞。她微笑着越走越近……

白灵！

东方俊从梦中惊醒，轻轻地推开仍在他怀里酣睡的苏春晓，拿起衣服找烟，现在他急需借助一根香烟来化解烦躁。没带！

东方俊急躁地穿好衣服，给苏春晓塞好被子。拿上房卡，下楼到便利店买烟。东方俊拿了一包中华，到收银台结账，这里的中华要比外面贵10块钱。收银员是一位中年上海妇女，她正在看报纸，东方俊过来结账，她就把报纸放在一边，抬头看到东方俊脖子上夸张的吻痕，强忍着没有笑出来。

东方俊打开钱包，拿出一张100元的人民币，钱包里他和白灵的合影不适时地跳进他的视野，那是他们在广州谈恋爱时拍的大头贴。当时的白灵如此活泼美丽，当时的东方俊如此无忧无虑。他的心突然无比自责、无比悲痛起来。他合上钱包，闭上眼睛深深地吸了一口气，然后拿起烟，胡乱地塞进口袋。

再次进入酒店房间，东方俊的心情已经判若两人，彷徨和自责侵占了他的整个心脏。他到卫生间里连吸了几根香烟，用冷水泼脸，强迫自己平静下来。

10分钟后，东方俊走出卫生间，从皮包里拿出两万块钱，轻轻地放在床头，然后就离开了。

东方俊开着车在高架上飞驰，上海的夜还是那么迷人，黄浦江两岸还是灯火辉煌，远处耸立的金茂大厦越来越近，但是东方俊感觉到白灵离自己越来越远。

第二天一早，东方俊收到苏春晓的一条短信：亲爱的，怎么这么早就走了，留下我一个人怕怕的。

他没有回短信，而且直接把短信删掉了。

这一天，苏春晓又发了七八条短信，东方俊都没有回。晚上的时候，苏春晓直接打电话过来，东方俊还是没接。

第三天，小钟来找东方俊，问他为什么不理苏春晓了。东方俊回答说："我对她没感觉，那天只是一时冲动而已。"

第四天中午，小钟又来找东方俊，说是苏春晓开价10万了结此事，不然就找人闹到白灵那边。东方俊没办法，只好打了10万给小钟，让小钟帮忙搞定。

"真是个婊子！"东方俊骂道。

投资观小结

东方俊：

既然从市场赚到了钱，就该好好享受。

韩子飞：

市场是有免疫力的，类似方法用的人多了，效果就会大大打折扣。

第十一章　失　落

时不利兮骓不逝

——项羽《垓下歌》

2009 年 1 月，期货大部分商品超跌反弹，PTA 的底部形态基本确立，也处在反弹之中，只是在全球经济不知去向的背景下，不知道 PTA 这一波反弹会不会延续。

相隔一个月，再次来到华茂五星，东方俊总感觉这个企业发生了一点变化，具体的变化也说不上来，但是李副总和陈经理似乎更加回避他了。

趁着 PTA 的持续反弹，东方俊动用了少许公司资金、张总的私人资金还有自己的资金做多，随着行情的缓慢上行，获得一小段利润。

可是金融危机之后，中国的经济包括全球的经济仍在极大的不确定之中，虽说各国政府都拍着胸脯说要救市，但是经济能否走好还有待时间的验证。这个时候从经济环境来看没有做多的理由，当然从技术图形来看也没有做空的理由，张总、李副总和陈经理把主要的精力都放在华茂五星的库存消化上。还好，去年年底，在张总的力主下进了不少低价的原料，摊薄了生产成本，虽然资金略有吃紧，但是和其他的 PTA 企业相比，华茂五星已经占有一定优势，这个时候抓紧销售回笼资金对企业是有利的。

春节前东方俊平掉了所有仓位，安心过节。中间回了一趟上海，别墅已经装修好，虽然超过预算 15 万元，但这别墅确实装修得相当现代、相当富贵，东方俊也算是满意了。春节期间，东方俊去找白灵，可她回了珠海，打她电话又不接，东方俊一个人感觉甚是无聊，倒是期盼着早点去绍兴。

春节后，2 月初，东方俊在会议上提出一个适量做多 PTA 的方案，他提出，既然基本面搞不明白，就纯粹从技术图形上去分析。从 PTA 的技术图形来看，已处在明显的反弹之中，他认为后市继续反弹的概率要高于下跌，因此建议用少量的资金做多。

没想到这个方案遭到李副总和陈经理的坚决反对，他们认为目前经济形势甚不明朗，而且 PTA 的价格在 1 月和 2 月两个月延续了 2008 年底的反弹，目前的价格已比 2008 年的最低价高了 50% 左右，这个时候，在没有明确利好的情况下，价格恐怕难以继续上涨。现在公司库存的原料价格比较低，虽然销售量恢复较慢，但已经有一些利润，与其拿资金去做多搏一把，还不如把更多人力、财力放在现货的销售上。

张总对李副总和陈经理的反对表示默认，东方俊也不好再说什么。

2 月上旬，张总和李副总专程到上海听了一个经济形势报告会，主讲的嘉宾是一个国际投行在中国的首席经济学家 T，这次报告会的主题是"经济危机后，2009 年世界经济何去何从？"，门票为每人 1 800 元。或许是这位经济学家的名气很大，也或许是长三角有太多像华茂五星这样的制造类企业需要专家的指引，这次会议五六百人的会场座无虚席，还有不少人站在后面和两侧听报告。从参会人员的听课态度来看，张总觉得这次会议的听众是最认真的，因为不管能否全部听懂，几乎所有的人都在安静地听，而且百分之七八十的人在做笔记。

这位首席经济学家 T 对 2009 年全球经济的复苏很不乐观，一方面他认为本次经济危机的破坏力度之大、破坏范围之广都是百年一遇，在这样的大危机下经济很难快速反弹；另一方面他发现欧美的大部分银行只顾着自救，没有主动去救大量危机重重的实体企业，银根似乎还在紧缩之中。因此他预测，国际经济走势不可能是 V 型反弹，很可能是 M 型发展，现在的反弹刚好形成了 M 型的第一个头，经济马上还要下去一波，稍微反弹一下形成 M 的第二个头之后还要再下去。至于下去之后会怎样，就要看当时的国际经济形势，还有各国的救市政策了。

听了这位经济学家 T 的讲座，李副总先是有点惊恐，后来冷静下来则慢慢有了应对的思路。他回到绍兴后，立刻会同陈经理研究后续的销售方案，包括期货做空套保的方案。

这一次李副总主动召集大家开会，会上由陈经理提出用期货大面积做空套保的方案，至少用 1.5 个亿的资金在期货上做空，以此保护现货的库存，保证每一吨销售出去的现货都有一定的利润。直觉告诉东方俊这个时候做空不太对劲，他表示反对，但是说不出令人信服的理由。反而李副总引用了那位首席经济学家 T 的经济 M 型发展观点，强烈支持陈经理的做空方案。

那个报告会张总也听了，虽然他没有像李副总那样坚定地相信那位经济学家的预测，但是他个人对后市行情的看法也是偏跌的，毕竟现在的现货市场销路不畅。于是张总综合了各人的意见，决定先用 5 000 万资金做空，具体的操作由东方俊执行。

当天下午，东方俊专门到张总办公室。

"公司的 5 000 万做空倒是可以的，毕竟能和现货套着做，您和您朋友私下的资金该怎么做呢?"东方俊很难把握期货 PTA 这个阶段的行情，不敢贸然做空或做多张总的私人资金。

"也做空，我看行情跌下来的概率大一些。"张总思考了一下，坚定地说。

"那么我仓位做小一点?"东方俊再次试探性问道。

"可以，仓位控制在 20% 以下吧。"

"好的。"

离开张总办公室，东方俊悬着的一颗心终于落了下来，既然张总明确了做空的意见，只要他控制好仓位，不管做对做错，赢钱亏钱都不用他一个人来扛了。

到了 2 月中旬，期货 PTA 的价格果然跌了下去，验证了那位经济学家的预判。华茂五星的企业账户和张总私人账户都因为适当做空而有所斩获。这时李副总和陈经理顺水推舟，提出加大做空套保力度的方案，会议上，陈经理还含沙射影地指出如果不是某些人之前的干扰，公司期货做空的赢利会更大。东方俊自知理亏，没有发表意见，而张总自然是同意了加大做空套保的方案。于是公司账户资金增加到 2 个亿。

虽然会议上东方俊不发表意见，但实际上他是强烈赞成的。

这时张总和他几个朋友的私人资金，加上前几轮的赢利，总的也有 2 个亿左右了。东方俊心想，PTA 不是特别活跃的品种，上次大跌之后目前的成交量也没有完全恢复，动用 4 个亿的资金做空，必然可以影响 PTA 的走势，相当于他在用别人的 4 个亿坐庄了，这可是大赚一笔的好机会。于是他决定大干一场，并且准备把自己的钱也全部用于做空。

2009 年 2 月下旬，东方俊大举做空 PTA，空头庄家面对多头散户，轻松获胜。2009 年 3 月初，PTA 期货经过一轮下跌后，价格逐渐企稳，期货大佬童老师嗅出 PTA 空头庄家的实力，决定会同一批期货大户联合做多，多头庄家对决空头庄家……

东方俊花了一天的时间观察之前两三个月以来 PTA 的走势情况，分析多空实力的对比，预估多头大概的资金实力，然后制定出 4 个多亿资金应该如何有节奏地做空，自己的资金又该在什么时候进去什么时候出来。

东方俊先是用华茂五星的资金少量做空，引导多头把价格慢慢拉上来，形成一小波反弹，接着把自己的资金在高位做空，然后是动用 2 个亿左右的资金把价格凶猛地打下去。

看来大跌之后，PTA 的多头主要是一些散户了，他们面对东方俊的大举放空毫无招架之力，仅两三天时间价格很快就跌了下去。东方俊很是开心。

随后的几天，东方俊感觉没有更多的多头资金进场，如果把空单大批量平仓反而会抬高价格，对自己不利。于是主要做一些盘中差价交易，就是先不下单，让散户们自己搏杀，等到盘中出现一个相对高位的价格后就动用一部分资金把它打下去，打下去之后再平掉一部分头寸，获取当日的赢利。

这一段时间，世界的经济形势依然不乐观，中国的经济却有着不同的表现，这是东方俊、张总、李副总都没有预料到的。中国政府调控经济的能力要比西方国家强很多，在中央政府 4 万亿投资的引导下，一方面地方政府积极配合，大量基建项目开始上马；另一方面中国的国有银行已从 2008 年底开始释放出大量的贷款，目前银根依然很松，流动性愈发充裕。而因为实业越来越难做，浙江包括全国其他地区的很多企业把原先积累的资金或是近期获得的资金投入了股市、大宗商品和期市。当然这些资金的核心特点是：做多。

童老师，杭州的一个大企业家，同时也是期货市场风云十几年的大佬，近几年全线做多大豆、豆油，赚得 40 多亿，但 2008 年做多大豆期货亏损了 20 亿左右，使得他在期货市场的资金缩水一半。这一回，他趁着大部分商品集体的超跌反弹，联合了一批浙江的商人、大户一起联合做多，不过这次他们没有选择大豆，而是选择了铜，因为金属的反弹力度远远大于农产品。

当童老师发现 PTA 的资金异动之后，迅速决定也在 PTA 上做多，因为前段时间 PTA 的盘子很小，对手多为散户，资金不多，虽然有所反弹，杀进去做多也赚不到太多。这回似乎有一条大鱼在里面做空，而且手法还有点专业，童老师很有兴趣会一会这条大鱼。

"各位，我发现最近 PTA 的参与资金有所异动，已不是简单的散户行为。"在西湖边私人会所的一个大包间里，童老师召集几个一起做多的大户开会。

会所在西湖边的半山腰上，包间面向西湖的一面由玻璃幕墙和推窗组成，包间中有 8 个人，童老师穿着休闲的唐装，品着一杯人头马。其他的七位或站着看湖景，或坐着下国际象棋，或靠在沙发上抽雪茄、品洋酒，他们都不是简单的人物，在期货行业虽然没有童老师那么出名、资深，但也都有至少上亿的资金在"玩"。

"老童，你发现了什么异动。"抽雪茄的那位似乎从童老师的话中嗅出了机会。

"我发现最近有一个大空头，想通过坐庄的形式赚多头散户的钱，他的资金可能在 1 到 5 个亿之间，后续还有没有资金目前还不清楚。"童老师晃了晃杯中的酒，平静地说。

"那老童你觉得我们能吃掉他吗？"这位刚把一枚棋子落下，抬头问童老师，"我们的资金一部分已经在铜上面了。"

"我看那位空头庄家控盘的水平还不够火候，资金方面我估计他们不会多过 10 个亿，所以我们完全有能力，也有必要吃掉它的几个亿。"童老师坚定地说完这一句，喝上一口酒。

"那就干吧，我们全力配合你。"

3 月中上旬，童老师在不太影响价格的前提下慢慢地建一些多单，十来天时间每天的盘面都是小幅震荡，不少散户看不到赚钱效应就转做其他品种去了。而东方俊毫无察觉童老师的布局，他一方面依然在日内倒差价，另一方面准备找一个时机再大幅空下去，让散户们被迫止损，然后所有的资金全身而退。

3 月 18 日，PTA 期货价格在每吨 5 700～5 800 元一线盘整了十几天之后，童老师突然发起攻击，一下子调用 3 个亿的资金迅猛地拉升行情。东方俊毫无准备，仓促应战，急忙把剩下的 2 个亿堆上去做空，可惜力量还是稍弱一些。价格突破每吨 6 000 元后，东方俊虽然知道了已有更大的对手庄家出现，但已没有招架之力。

而童老师要逼迫空头主力平仓，又动用 2 个亿继续拉升价格，散户们看到 PTA 价格突破上行，也纷纷加入做多行列。

仅仅 5 天时间，PTA 价格已达每吨 6 500 元。这时东方俊操作的 4 个亿已经全部套在里面，自己的 1 000 万资金也全部是空单。

张总紧急召集大家开会，李副总再次引用那位经济学家 T 的观点，认为这一波反弹恰好是 M 头的另一个顶，接下来将是一波酣畅淋漓的下跌。虽然东方俊觉得目前全部平仓还能保全 60% 以上的资金，但是他不甘心就此退出，哪怕知道了对手的实力，也想再搏一下，而恰好李副总认为接下来是一波大跌，那他也就有了说话的台阶。于是东方俊提出继续加多资金做空的操作方案，李副总听到东方俊主动提出，当然表示同意，而张总这时也想着自己私下的那部分资金，自然也支持。于是会议决定紧急调用 1 个亿做空。

接下来的两天，童老师没有操作，东方俊用 8 000 万的资金空下去，连续拉出两根阴线。童老师看到空头主力又筹集资金来了，非常开心，于是利用账户的浮动赢利，同时再调入 2 个亿资金大举做多，PTA 的价格再次上涨。

情况对空头很是不利。

这时陈经理突然提出尽快平仓的建议。虽说现在公司做空期货是套保，也算是在销售库存，但是 5 月的合约还要 2 个月才能到期交割，目前公司的流动资金并不充裕，2008 年亏的钱还没有完全赚回。公司 PTA 的持仓均价在每吨 6 050 元左右，现在砍掉，虽然期货可能亏掉一点，但至少现货也会在高价卖出，把期货平掉之后，抽出大量资金可以保持现货生产和销售的顺利开展。

李副总的态度突然 180 度大转弯，不再坚持价格必然下跌的观点，而是支持陈经理的平仓建议，他还提出，这一次期货平仓之后，公司在 2009 年要谨慎使用期货工具，重点工作还是把现货生意经营好。

东方俊想着自己的 1 000 万不能这么白白搭进去，当然不同意陈经理和李副总的建议，他要求公司再增加 2 个亿资金做空，并强调只有这样才能确保公司的最大利益。

双方争论不下，只好由张总来定夺了。

张总沉思良久，他一方面想着华茂五星如何正常生产销售，另一方面他也想着自己和朋友的那 2 亿资金，如果就这么砍出来至少要亏 6 000 万以上，不好向几个哥们交代。公司方面虽然流动资金有点紧，但挤一挤，然后把用于生产的贷款移过来，再调用 2 个亿还是可以的。按理说调用生产资金投资期货的事情应该由董事会决定，在这种情况下，张总为了尽快解决问题，就擅自做主敲定了。而李副总虽然心里知道张总违规动用资金，也没提出反对。

看到有新的资金进来做空，童老师很开心，因为进来的资金越多，他们能赚到的就越多。2 个亿的资金对童老师来说只是一个小数字，他利用先前的巨大利润优势和后备资金优势，凶猛做多，不给空头喘息的机会。

东方俊这次终于感觉到多头的真正实力了，他们的资金真的太雄厚了，2 个亿资金进去，价格还是顽强地上涨，价格到了每吨 6 600 多元。

这时已是 3 月底，5 月合约明显出现了多头逼仓的形态，不少散户也加入做多行列。而生产资金被挪用后，车间的生产量有所下降，目前的现货销售又好于预期，华茂五星的库存在不断减少。张总为了不让多头逼仓成功，到时可以用现货交割，就下令停止现货销售，这一命令自然会引起公司各个层面的议论，只是张总已经决定了的事，谁也改变不了。

没有不透风的墙，终于有一天，张总把东方俊叫到办公室，神情疲倦。

"今天香港的股东正式发函过来要求我答复公司动用大量资金投资期货的问题。"

"那怎么办，要不全部平掉吧。"经过这一次的搏斗，东方俊自知实力没有多头的庄家雄厚，已想早点认输出场。

"目前还不是认输的时候。"张总有点失望地看着东方俊，"原本我想把公司仓库的货抵押给银行，调出几个亿的资金继续做空，只要我们坚持到 5 月，到时我们又有货交割，我们赢面还是比较大的。只是现在我在公司的权力受到一定的限制，现货抵押贷款的事情恐怕没法做了。"

"那我们哪里来资金继续坚持呢?"

"现在国有股东，就是绍兴市政府，和香港股东，还有我之间的关系比较微妙，动用公司的钱已经不可能了，只能我私人再投入 4 亿了。"

"张总，你要慎重。"东方俊不知道为什么不再顾及自己那 1 000万的被套资金，而是非常担心张总这次再投 4 亿还是血本无归。

"尽人事，听天命。"张总站起来拍了拍东方俊的肩膀，"东方俊，成败在此一举了，你尽力而为吧。"

"现在 5 月合约比较强，9 月偏弱一些，我们这一次可以做空 9 月，看着 9 月的价格下来，散户们也会积极跟入，到时 5 月的价格自然也会下来。"东方俊给出了一个操作性稍强一点的方案。

"就按你说的去做吧。"

东方俊动用 4 亿资金迅猛做空 9 月合约，9 月合约价格下跌，5 月合约跟着下来，然后平掉张总私人账户在 5 月的持仓，把资金集中在 9 月做空，似乎大事要成了。

本来童老师想着要鸣金收兵了，没想到空头竟然负隅顽抗，又来送钱！他立刻通知各个大户动用闲余资金全线做多，一下子拉出两根大阳线，而且第二天 9 月和 5 月两个合约都直接拉涨停。东方俊自己的账户已被拉爆，盘中被强平，剩下资金不到 20 万。华茂五星的所有持仓都在 5 月上，部分仓位也被强平。

第三天，童老师继续大幅拉升 9 月合约，盘中价格突破每吨 7 200 元，张总的私人账户大部分头寸也被强平出局。

随后几天，5 月合约震荡向上，公司下令东方俊主动平掉所有持仓。

就此一役，东方俊的 1 000 万只剩下 20 万，华茂五星和张总的账户也因为强平而各自损失 80％ 以上的资金。总亏损在 9.5 亿以上。

香港股东不失时机地前来华茂五星检查，公司全面停产整顿。因为张总的不理性、不合规决策，公司操作期货亏损近 4 亿，他只能引咎辞职。

国有股东代表假意挽留张总，但张总已看穿这台戏，去意已决。实际上华茂五星的公司资产依然优良，库存的 PTA 至少价值 10 个亿，只是当时银行不肯抵押贷款，且香港股东突然发函制约。其实张总也知道要是在以往，只要国有股东说句话，银行肯定会放款，银行一放款，只要在 5 月合约上再扛两三个星期，这次和多头的对决谁赢谁输还不知道呢。

只是这一次，张总败给了香港股东和国有股东。张总无奈出售了一部分股份给香港股东，而国有股东则让绍兴的银行批给华茂五星 6 个亿的新增贷款，公司停业两个星期后，又焕然一新上马了。

张总离开公司后，只保留了一个董事的职位，李副总被任命为总经理，陈经理被提升为副总经理，同时香港方面也派了一个副总经理过来共同管理公司。

东方俊这才看明白这家企业的权力斗争，他收拾好行囊，灰溜溜地离开了华茂五星。

投资观小结

东方俊：

做一个品种的钱多到一定数目的时候，可以用坐庄的形式操作。

童老师：

如果市场有大鱼坐庄，很有兴趣和他一决高下。

只要我的资金比你多，手法比你凶，不信拉不爆你。

张总：

多空庄家对决，没有拼到最后，决不轻易认输。

第十二章　博　大

海纳百川，有容乃大

——林则徐

2009 年春节前后，因为经济刺激计划的较好预期，更由于信贷放松之后资金推动的直接原因，A 股市场大部分股票进入了上涨通道。虽然韩子飞预计 2009 年股市会有所上涨，但从 2008 年底开始的这一轮上涨不论是幅度还是涉及面都出乎他的预料。

套利系统实盘操作下来的效果比统计数据要差一些，虽然两套系统的收益最终还是正的。其中跨合约日内对冲系统两个月做下来只赚了 2％，跨品种隔夜对冲系统稍微好一些，两个月赚 5％ 左右，但这对以投机赢利为目的的资金来说，资金的增长效率显然太低了。韩子飞通过几个晚上的研究和统计，调整了一些参数，并且精选了几个关联度更大的、更加合适做对冲套利的品种。经过调整，实战的效果略有提升。

韩子飞心想："如果日内对冲套利系统能够达到每个月2％以上的赢利就相当不错了，因为它是不留隔夜单的，每天收盘后就是零风险，这对投资者的资金安全和交易心态都是很好的保护。而隔夜对冲套利每个月的平均赢利最好能在 3%～5%，因为不管它多么稳定赢利，只要是留有隔夜仓，不可抗拒的风险特别是系统性风险还是有可能伤及账户，必须有足够的赢利补偿才能放心地使用这套隔夜系统。"

还好，他的波段趋势系统在春节前后一直保持着相对的稳定和良好的收益，这使得他有足够的时间和精力去探索套利模型或是其他的交易模型。

在错过了几次买入点之后，韩子飞在春节后的开市第一天就买入了海王生物和中恒集团，两只股票的资金比例大约是 3∶7，总仓位是 50%左右。因为韩子飞更看好中恒集团，这只股票不但有医药概念，还有房地产和股指期货概念，他认为在资金推涨房价的大背景下，2009 年房地产行业的利润会有所上升，而股指期货也可能成为 2009 年炒作的概念。

两只股票买入后均有不错的表现，于是韩子飞在恰当的时机又加了仓位。

2009 年 3 月，或许世界经济还在泥潭之中，但是中国的经济似乎率先突围了，而且市场上资金的充沛程度和 2007 年相比也是有过之而无不及。因此股票和期货的阶梯型上涨对韩子飞来说已能完全理解，现在他要做的只是在控制好风险的基础上，尽可能地抓住流动性泛滥的红利。

不管是从熟人圈子里来的，还是从论坛上发展来的投资人，数量和质量都有所提高。韩子飞已经感觉到资金规模稍微大了一些，虽然有曾三虎帮忙管理一些账户，但他也只是根据自己的思想和规则下下单而已，总体来说单一的交易策略不可能容纳太多的资金。他一方面引导部分投资人尝试他新开发的套利系统，另一方面则是根据投资人的需求把资金介绍给更合适的高手操作。

做股票的孟泽，做股票、期货和外汇的邵高林，做套利的史良辰，这几位比较谈得来也愿意帮助他人理财的高手成了韩子飞的外援部队。韩子飞让唐雨秋把不同投资人的资金分好类，根据资金规模、风险承担能力、赢利预期等要素，为他们选择不同的投资工具和不同的操盘者。初步运作下来，效果不错，外援部队的操作水平还是相当不错的，投资人、韩子飞、操盘人获得了三赢的局面。

韩子飞和唐雨秋商量着如何整合利用自身以及外援部队的优势，在做好严格风险控制的情况下，制定出明确的游戏规则和利益分配体系，这样的话相当于是在摸索组建私募对冲基金了，如果运作成功，很可能成为中国民间第一批对冲基金。韩子飞和唐雨秋两人将来的发展方向或许就是开放式的基金管理人了。

前景是美好的，也是令人陶醉的，只是金融投资这东西容不得半点疏忽和自大。除了偶尔给自己一点美好的想象以外，韩子飞每一天的基本工作依然是如履薄冰。刚刚经历了金融危机的韩子飞，更加珍惜目前这来之不易的赢利状态。

"期股争霸论坛"其他工作人员也个个干劲十足。曾三虎和往常一样聚精会神地盯着电脑屏幕，他是一个称职的下单员，虽然略有迟钝，但韩子飞的交易模式对下单速度的要求并不高，他已能很好地胜任。屏幕上上下下蹿动的曲线和红红绿绿的数字背后居然代表了惊人的财富分配游戏，不单是曾三虎，这个世界上有多少人为此着迷、为此欢呼或沉沦呢？

刘佳妮去年超额完成了"期股争霸论坛"的营销任务，拿到了有生以来最多的年终奖金，今年她似乎更加卖力，这会儿不在公司，还在外面跑业务呢！

唐雨秋也是和往常一样在论坛上组织发起一些讨论帖、投票帖，维护三四十个高手的讨论专区，更重要的还要充当网络警察的职责，不断搜寻那些特别过分的广告帖或是黄色帖、反政府帖等，并在第一时间把它们消灭掉。

"你好，期股争霸论坛。"唐雨秋接起电话。

"唐小姐，我是万秦证券的小李。"随着"期股争霸论坛"流量的增加、影响力的上升，万秦证券的股票期货实盘争霸擂台赛吸引了越来越多投资者的关注和参与，而万秦证券的工作人员对韩子飞和唐雨秋也是越来越客气。

"李经理，你好。"

"韩总这两天忙吗？我们公司分管营销的许总，也就是这次大赛的总负责人，他想今天或明天收盘后和韩总见一面，讨论一下大赛半年度的颁奖典礼怎么搞。"

"韩总这几天都在公司，应该有空的。"

"那你看具体哪天方便，另外是我们去你们公司还是你们过来？"

"要不明天下午 3 点 40 分左右，我和韩总到你们公司？"不管对方多么客气，唐雨秋心里总会有她的原则：万秦证券是论坛的客户，服务好客户意味着除了提供有效的价值以外，还必须要有较低的姿态和较好的态度，这样合作才能长久。

"好的，那我和许总定一下这个时间，恭候你们的到来。"

万秦证券离中山公园不远，就在中山西路靠近宜山路的兆丰环球大厦。收盘后，唐雨秋载上韩子飞开车过去，不到 20 分钟就到了。

万秦证券是上海排名第二的证券公司，大股东是国有五大银行之一，万秦品牌之下除了证券还有保险、基金、信托和期货，而单单万秦证券的总部就占了兆丰环球大厦两层半的写字楼。

韩子飞和唐雨秋比约好的时间早到了 5 分钟，李经理把他们引入公司的小会议室，为他们倒上水，然后出去通知许总。

两三分钟后，韩子飞听到会议室外面的两三个人说着上海话走进来。一位是 45 岁上下、穿着深色西装打金色领带的中年男子，手里拿着一张纸和一支笔，满脸笑容的他进来后很自然地坐在了主位上，想必就是许总；另一位是穿着职业套装的女士，看上去很年轻，可能是大学刚毕业的，坐在李经理边上。

"韩总还没见过我们许总和程小姐吧。"李经理微笑着介绍，"这位是我们万秦证券总部的副总裁许总，这位是许总的秘书程小姐。"

"叫我小程好了。"程小姐微微起身后再坐下。

"这两位就是'期股争霸论坛'的韩总和唐小姐了。"李经理向许总介绍。

双方互换名片，寒暄数句之后，李经理开始转向正题。

"我们万秦证券和万秦期货联合举办的股票期货实盘争霸擂台赛在'期股争霸论坛'还有韩总、唐小姐的支持下取得了较好的社会反响，据我们统计，参加股票比赛的投资者突破了 3 万人，参加期货比赛的投资者突破了 2 000 人，应该说我们的大赛是同期各家公司举办的所有大赛中最有影响力的，选手的素质也是最好的，半个年度的比赛下来，期货第一名的收益率达到了 4 570% 多，刷新了期货投资领域的历史纪录。"李经理礼貌地向许总坐的方向抬一下手，"所以，我们许总想把半年度的颁奖典礼做得规模大一些，并且要有新意和影响力，具体举办的时间就放在 3 月底。"

　　"我们想把这次颁奖典礼顺便做成一次规格较高的大型投资报告会，会场可以选择一个五星级酒店，最好能容纳 800～1 000 人，主要是邀请参赛选手还有我们万秦证券、万秦期货的优质客户参加，大会具体的流程我们公司内部已经初步策划了一份，小程你把手上的流程递给韩总。"

　　韩子飞接过大会流程，浏览了一下，大概知道了这次会议的形式，基本上就是领导致辞、颁奖开场等，主题演讲环节则是由经济学家开头，研究所所长、分析师、交易高手接上，最后以一个圆桌论坛结束。这种类型的活动他在做证券分析师的时候就策划参加过，基本上证券公司、期货公司的套路都是这样。

　　"这个活动的形式、时间和规模公司已经定下来了，这边还想和韩总商量的是两个方面。"许总看了一下纸上列出的要点，"第一是我们想邀请韩总作为这次活动中圆桌论坛环节的嘉宾主持人，因为一方面你自己也是做交易的，更加了解投资者在交易中的切身感受，对如何才能走向赢利更有自己独到的看法；另一方面你们论坛对那些高手的访问做得特别好，这次圆桌论坛邀请的嘉宾就是 6 大高手，由你来主持和发起提问最合适不过了。"

"第二是关于圆桌论坛邀请的 6 大高手，目前我们请了 4 个人，其中两位是大赛半年度的股票冠军、期货冠军，另外两位是长期和我们公司有合作的股票交易高手。现在还缺两个高手，我想最好是期货方面的高手，虽然我们这边也还有一些合作的高手，但我们看到'期股争霸论坛'上面有着这么多厉害的角色，想着如果让韩总邀请两个可能效果更好一些，这些人在论坛上已被广泛关注，更加能活跃论坛的气氛。"

看到许总拿起水杯喝水，韩子飞估计他已经说完了。

"许总说的让我担任圆桌论坛的主持和邀请两位期货方面的高手作为嘉宾都没有问题，还要多谢许总给我这样的机会。两位期货高手的人选我现在已经有了，今天回去后我和他们联系一下，落实好之后我会让唐雨秋把定下来的两个人的名单还有简介等资料传给李经理。"韩子飞向李经理点头示意，"至于主持 6 大高手圆桌论坛的事宜，我想如果要做得精彩，最重要的是问题的设置，所以还要请李经理把万秦已经确定的 4 个高手的初步资料发给我们，我会对这 6 个高手的资料做一个详细的了解和对比，同时通过网络和朋友圈进一步了解相关信息，再结合本次投资报告会的主题，设计出 10 个左右的问题。到时我会把问题发给许总和李经理，还要请许总把关，看看我设置的问题是否合适，最后我们共同确定 3～5 个问题，让 6 个高手围绕这些问题展开圆桌讨论。"

"韩总想得比较周到了，我看就这样执行好了。"许总面露肯定的神情，"我们这次大赛的成功举办得到了'期股争霸论坛'的大力支持，这一次举办颁奖典礼和投资报告会也想邀请你们作为协办方，给予我们必要的网络推广方面的支持。"

"这也没有问题，我们可以先发一个所有版块的置顶帖，其他具体的推广需求请李经理直接和唐雨秋联系即可，我们会全力配合。"

"好的，那我就要再次麻烦唐小姐了。"李经理笑着，继而好像想起什么，"那么，推广的费用呢？"

"这次颁奖典礼和投资报告会的网络推广就作为大赛的配套服务吧，全部免费。"韩子飞大方表态。

"感谢韩总的支持!"李经理有点出乎意料。

许总的右眉也动了一下，显然他也没想到韩子飞会免费帮他们。

"不过我们这边请两位期货高手参加圆桌讨论，可能需要万秦给他们一点出场费用。"唐雨秋担心韩子飞大方过头了，连忙补上一句。

"那是当然，这项费用我们有预算的，每一个上台的嘉宾都会有出场费。包括韩总作为主持人也会有的。"李经理略带自豪地说。

"我主持的费用不要也可以。"

"哎，那还是要的，这也是劳动付出嘛!"许总表态之后，韩子飞也就不再多说了。

高手方面韩子飞最终确定了邵高林和史良辰，投资报告会的组织和推广在双方的配合下顺利开展。只是唐雨秋的工作量又多了一些，一段时间里略显疲态，韩子飞有点无奈但也没办法。

投资报告会举办当天，场面相当火爆，800个座位全部坐满，还有人站在后面和两侧，这些投资者大多是带着问题来的，或是专程从外地过来想要一睹高手们的风采。万秦证券的领导致辞之后，半年度的颁奖典礼把会场氛围瞬间推向高潮，半年取得 4 570％多收益的期货冠军尹义中的获奖感言给人留下了深刻印象：谁说期货操盘手一定要爆过仓才能成功？我就没有爆仓过。谁说在大赛中的满仓操作就像是赌博行为？仓位满并不一定代表风险高，很多时候市场会出现高概率、低风险的投资机会，这个时候我们就应该毫不犹豫地重仓出击。

颁奖典礼之后是经济学家老樊的主题演讲，他的身份基本上属于国务院的御用经济学家，因此他的观点必然是看好后市的；紧接着是万秦证券首席分析师和万秦期货研究所副所长上台演讲，很明显这是万秦主场之下的练兵，两位专家的观点不温不火，没有真正的指导意义，但也找不到错误的地方；而来自华尔街的新加坡籍华人方梦龙的演讲倒是较有新意和借鉴意义，他的主题是"北美市场的股指期货和CTA"，其精彩论述让大家憧憬起中国股指期货的未来；最后的聚集了 6 大高手的圆桌论坛，则又一次把大会推向高潮，在韩子飞巧妙的提问下，各大高手纷纷过招，台下的投资者一会儿静静地听讲、一会儿热烈地讨论、一会儿掌声雷动，看来更受投资者欢迎的必然是赢家而不是专家。

大会圆满结束，许总非常满意，李经理和唐雨秋忙前忙后，终有了回报。

这次大会上，韩子飞对两个人印象比较深刻，一个是期货冠军尹义中，另一个是新加坡籍华人方梦龙。会后，韩子飞和两人交换了名片，两人的名片风格迥异，尹义中的名片是超级简约型的，基本上就是一张白色卡片印上名字和电话而已，没有公司、没有地址、没有职务，很可能是为这次颁奖典礼专门印的；而方梦龙的名片则显得特别精致，它是用回收的金属材料做的，可能是易拉罐之类的材料，在金属片上贴着深色的横条，横条是纸质的，上面用反白的形式展示他的名字、公司、电话和地址，从名片上的公司名称"华尔街龙行基金"可以看出方梦龙在美国应该是做私募对冲基金的。韩子飞很想进一步了解这位方梦龙先生。

机会马上就来了，晚宴的时候，韩子飞主动坐到了方梦龙边上。

方梦龙这次到中国主要是参加中国金融期货交易所组织的一系列考察、交流活动，同时中国金融期货交易所的领导还请他详细介绍美国、新加坡的股指期货产品设计和运行情况。韩子飞心想，股指期货经过近三年时间的练兵，正式上市的日子可能越来越近了。

方梦龙在华尔街管理一家私募对冲基金公司，主要打理自己还有朋友的钱，他的客户绝大部分是华人，管理的资金大约为3亿美元，在华尔街只是一条小鱼，但是这条小鱼已经连续5年达到80％以上的收益了。他这次在国内要待一个月左右时间，一是由于中国金融期货交易所的领导还需要他做几场讲座；二是他想在长三角几个城市走走，多认识一些大陆做金融投资的朋友；三是他在美国的基金的运作已经相当成熟，有专门的基金经理负责日常管理。

酒桌上觥筹交错，也没法深入细谈，韩子飞邀约这位方梦龙先生下次再细谈，方先生刚好想进一步了解大陆相关基金的运作，也就欣然答应了。

两天后，没想到方梦龙主动给韩子飞打电话，说是要参观韩子飞的公司。

唐雨秋担心现在办公的地方太寒酸了，提醒韩子飞最好和方梦龙约在外面见。韩子飞倒是觉得没必要太刻意追求场面，既然答应人家来参观，就来吧。

约好的时间是下午3点半，方梦龙2点从浦东紫金山大酒店出来。他没有打车，而是坐地铁2号线去浦西。在上海两个星期后，他发现上海最高效的交通工具是地铁，只要不是在上下班高峰乘坐，乘地铁要比打车或自己开车惬意多了。方梦龙很善于总结，才到上海这么短的时间他就发现：如果一定要打车，可以在早上8点之前、晚上8点之后，中间那12个小时很可能因为塞车速度比乘地铁慢。

方梦龙这次到上海还有个很深的体会，就是上海的开放。这会儿方梦龙被地铁上的电视里播的"世博会专题节目"所吸引，上海的世博会很可能是159年以来规模最大、参会国家最多、参观人数最多的一届。上海在改变，在成长，这座立志成为一流国际化大都市的城市，需要一次华丽的表演，让世界惊艳于她的美丽与繁荣、现代与悠远、生机盎然与井然有序。对于长久居住在国外的方梦龙来说，上海正以惊人的速度和博大的胸怀，向万众瞩目的2010年走去。在上海，机会是无限的。

不到3点，方梦龙就到了绿地商务大厦楼下，因为时间还早，就在周边闲逛。台湾和香港他去得比较多，这是他第二次到上海，上海的高楼大厦吸引不了他，因为那玩意全球各地都差不多，他喜欢走到大厦后面的一些小巷子、小商店或是小小的报刊亭，和陌生人漫无目的地闲聊。

"唐小姐，您好！"下午3点半，方梦龙准时出现在1601室门口，礼貌地打招呼。他的普通话比较标准，不像有些香港人或台湾人说的那样听起来很别扭。

"方先生，请进。"唐雨秋走过去迎接，"这是韩总的房间。"

韩子飞的办公室实用面积只有15平方米左右，除了他的办公桌椅、一张小沙发和小茶几之外，还硬塞了两把椅子和一个书架，这是他的办公室，同时也是公司的会议室、会客室。

方梦龙在沙发上坐下，唐雨秋问他："您要喝咖啡还是茶？"

"茶，最好是绿茶。"

虽然这间办公室略显局促，但方梦龙并未显得不自在，或许在寸土寸金的新加坡和华尔街，大部分的办公室也是如此。

韩子飞和唐雨秋坐在茶几边的两把椅子上，和方梦龙面对面。方梦龙很认真地品着绿茶："这应该是西湖龙井吧？"

"看不出来方先生还挺懂茶的，这是从西湖边自己种茶、炒茶的茶农家买的。"唐雨秋心想越把这茶说得天然一些，方梦龙可能越喜欢。

"新加坡大部分的华人祖籍是广东或福建的，而我的祖籍是浙江，祖上在清末的时候移居海外，辗转到新加坡，后来定居下来，在新加坡的华人中算是少数人了。"方梦龙笑着说，"绿茶里我最喜欢的是西湖龙井和苏州东山的碧螺春，这也许和我骨子里的江南水乡基因有关。我看两位可能也都是长三角一带的吧？"

"我是义乌的，韩总是无锡的，方先生好眼力。"唐雨秋不失时机地称赞这位海外游子。

"韩总，我想向您请教一下。"聊了 20 多分钟的茶文化和水乡情之后，方梦龙开始把话题转向今天他最想了解的事情上，"在大陆要做一个私募对冲基金，难不难？需要怎么操作？"

"方先生想在大陆组建基金吗？"韩子飞终于明白了方梦龙此行的目的。

"呃，有这方面的打算和计划。"

"目前在大陆，股票的私募基金比较多，有些规模也比较大，可达三五十亿元人民币。但是因为股指期货还没有正式上市，不少私募还是以大庄小庄的特征和形式在操作，在股票私募中没有真正意义上的对冲基金。"韩子飞看到方梦龙竖起耳朵，仔细在听，"目前能够做对冲的，只能在期货市场，但是目前期货市场的容量还不是很大，虽然这近几年规模翻了几番，但目前的总资金量应该没到 1 000 亿，和股市的几万亿相比，相差甚远。因此期货的私募一般只有几千万，大一点的几个亿，小一点的可能只有几百万。当然，期货市场有个别大户的参与资金可能会达到二三十亿。"

"那么，如何在法律的允许下发行私募基金呢？大陆的股指期货上市以后，股市和期市会被打通，到时资金容量不是问题。"

看来方梦龙从中国金融期货交易所那里得到了一些确定的

信息。

"目前主要是三种形式:一种是有限公司制或是有限合伙制,通过各个股东按照一定的比例出资,以注册投资公司的形式用法人账户参与股票或期货投资,一般大型的私募基金都是采用这种形式;第二种是通过发信托的形式在更大的范围内募集资金,做成信托基金;另一种则是个人代客理财,就是私人与私人签订理财合同,这属于朋友、熟人之间的委托理财,法律没有明确允许也没有不允许,这种形式一般规模都比较小,几十万、几百万或者上千万。"

"那有没有获得股票、期货理财牌照的公司?"

"目前股票理财的牌照主要是发给公募基金,参与的主要是股市和债券的投资。在单边赢利机制之下,这些基金虽然规模很大,动辄数百亿,但业绩都是雷同的,基本上是靠天吃饭,股市牛了都赚钱,股市大跌那么谁都不好过。股票的私募基金也慢慢放开了,目前很多公司可以公开发信托募集资金,但是期货理财基金的发行目前还不行。"韩子飞顿了顿,"不过市场上似乎还有一些历史遗留下来的公司,好像曾有一段时间允许民营公司以法人名义代客理财,当时可能发了一些牌照,某些公司现在还存在。"

"就是说现在对法人企业代客理财还有一定的限制。呃,期货CTA的事情您是怎么看的,您觉得它会较快推出吗?"

"我想今年推出的可能性较小,在大陆应该是先有股指期货,然后再有CTA,最快也要明年了。"

"哦,这样啊。"方梦龙略有遗憾。

"方先生，您在华尔街金融投资多少年了，之前在新加坡也是做投资的吧？"感觉方梦龙大概已经了解了他今天想知道的信息，韩子飞开始发问了，他对方梦龙的到来也准备了一些问题，毕竟机会难得，可以直面华尔街的投资高手，总要抓住机会挖一点料。

"哦，"方梦龙回过神来，"其实我在新加坡一开始不是做金融投资的，我原本是做木材和原油贸易的，随着全球汽车消费量的上升，原油贸易逐渐成为主营业务，之后开始接触原油期货的套期保值。"

方梦龙笑了笑："可能我天生适合做投机吧，自从接触原油期货之后，我发现用期货来做贸易要比现货更畅快、更方便，直接用电话报单买进卖出，到后来更是可以用电脑直接买卖了。经过两三年时间的研究和交易，也就是在 2000 年前后，我决定把自己的主要精力放在金融投资上，现货的生意交给了家族的其他人做。2002 年我开始做外汇，发现外汇比期货更具金融投资价值，当然也更加刺激。2003 年开始我定居美国，一开始在一家大型的对冲基金做交易员，因为业绩比较好，认识了不少客户还有业内的一些高手。2004 年开始我自己设立对冲基金，起步的时候主要是自己的资金和少许朋友的钱，大概 2 000 万美元，第一年实现了 150％的收益。之后基金的规模不断扩大，现在我有两个专职的基金经理，一个做外汇，一个做股指期货，公司的规模其实也不大，全部加起来只有 15 个人左右。"

"股指期货和外汇各自配置了多少资金在做，哪一个收益更好？"韩子飞想进一步了解海外基金具体的运作形式。

"一般来说外汇的资金会配置多一点，因为外汇的杠杆更大，财富效应更明显，但是我会根据每年市场的变化调整两个基金的资金比例，比如 2007 年到 2008 年我增加了股指期货的比例，因为股市的波动幅度比较大。"方梦龙喝一口茶,"至于收益率,不同的年份股指期货和外汇各有高低,不过平均来讲可能还是外汇高一点。"

"从2004年到现在,您运作的基金的总资金每年都实现了80%以上的收益,这么好的成绩,主要采用的是什么交易策略?"

"这个嘛!"方梦龙似乎有点不想回答,但也不想扫韩子飞的兴,"其实东方人和西方人的思维模式是不同的。在这一点上是我们东方人占据优势,这也是东方人在金融投资上比西方人更加优秀的原因。"

这一观点韩子飞倒从未听过,唐雨秋也突然来了兴趣,愿听其详。

"韩总,今天我又搞定了一笔广告业务哦!"刘佳妮冷不防地推门进来。

韩子飞和唐雨秋面露少许尴尬,唐雨秋转向刘佳妮,用口形对她说:"在开会。"

刘佳妮吐吐舌头:"不好意思打扰了!你们继续。"

"你们公司氛围不错,同事关系很好啊!"方梦龙看到刘佳妮这可爱的小丫头,心想韩子飞平日里估计是个容易亲近的好领导。

"您刚刚说东方人在金融投资上更有优势。"韩子飞提醒方梦龙他的话还没说完。

"哦,对。西方人总想确定一切,他们是科学至上的,就连价格趋势这样的事情也是如此,你看他们的理论,不管是波浪理论还是江恩理论,都是想确定行情下一步会怎么走,走到什么位置。西方人会想尽办法确定一些他们所认知的事物,当他们实在确定不了的时候,就交给上帝负责,哈哈。"

"可是，将来的行情在当下真的可以确定吗？肯定不是的。虽然行情有趋势，虽然之前已经走出来的趋势可以确定和分析，但将来要形成的趋势必然是未知数，这个未知数或许可以预测，但是不可以确定。并且预测只是给交易一个指导方向，一个概率上更高一些、赢面更大一些的方向，而不是必然胜出的方向。"

　　"其实行情不是科学，甚至它已经基本脱离了物质属性，具备了精神属性。我们可以去思考一下，当投机交易的成交量占到市场主体的时候，一个期货品种所对应的现货是什么，是否还起着对价格的决定作用。当然或许长期来看还是起决定作用的，但是短期内呢？产品的供求关系一定会反映在价格的波动上吗？我看价格的波动更多的是参与交易的资金性质所决定的，也就是说无数个交易者在交易的那一瞬间的心理预期、心情、态度等决定的。这样说来行情的波动就有了明显的精神属性。而既然是精神属性的东西，又怎么可能确定呢？"

　　"说到这里，我想你们就能理解，为什么东方人，特别是华人在交易中具有优势了。因为西方人的思维是一元的，而华人的思维是二元的，万物分阴阳，有从无中生。并且阴阳和有无又是相生相克、你中有我我中有你的，不像西方人认为的一就是一、二就是二，涨就是涨、跌就是跌。其实华人更容易找到阴阳发展、转变的基本规律，找到价格涨跌的基本规律，涨与跌不就是阳和阴！"

　　这样的理念颇有哲学意味，韩子飞虽然一下子没有完全明白，但已经信服了方梦龙的阴阳交替理论，或许这次金融危机就是西方传统金融理论的衰败表现。

　　"那您在美国主要的朋友是华人还是西方人？你和西方人是怎

么交流的?"唐雨秋觉得刚才的话题略显沉重了,于是换一个轻松一点的。

"华人和西方人都有,其实我们新加坡人,包括香港人,都是华洋结合的产物,只不过骨子里中华文化更多一些。我的朋友在数量上肯定是西方人多,毕竟生活在美国,交往的更多为西方人,但关系密切的多半是华人,因为比较有共同语言,或者叫臭味相投吧。我很喜欢和西方人讲中国的道家思想和儒家思想,特别是道家思想,我觉得这是世界上最伟大的思想,也是西方人很难理解的思想。"

不知不觉三人谈到晚饭时间,唐雨秋建议到定西路上的外婆人家吃正宗的上海菜,方梦龙欣然答应。

车上,方梦龙半开玩笑半带羡慕之意:"唐小姐又漂亮又能干,还能做司机,韩总找你做秘书真是超值啊。"

唐雨秋心里暗笑。

一进外婆人家,方梦龙就连连说好,中国红、木质桌椅、镂空的屏风、水乡字画,或许在这里他找到了在上海一直想找的风情和味道。三人在包厢坐下,唐雨秋点了这里的招牌菜:包记红烧肉、沙锅焗鱼嘴、油浸蚕豆、盐水凤爪、无锡小笼、长江鲫鱼、元宝虾还有童子鸡。

方梦龙吃得赞不绝口,在美国或新加坡自然吃不到这么正宗、美味的上海菜。韩子飞也觉得这家餐馆的手艺非凡,他至少吃过100家饭店的红烧肉,今天吃到的是最好的,看来唐雨秋在吃的方面还是有点小本事的。其实上海菜中最常见的是红烧肉,最难做的也正是红烧肉，肉的肥瘦、酱油的轻重、糖的多少，还有火候的掌控、容器的选择，都是学问。所以常有人说，要在上海开饭店，只要做好一道菜就可以了，那就是红烧肉。

或许是下午聊得比较投缘，也或许是晚上的饭菜特别可口。方梦龙临行前特别邀请韩子飞和唐雨秋去他华尔街的公司参观、交流，同时还表示等股指期货上市之后，他会在大陆筹划私募对冲基金，到时希望能与韩子飞合作。

送方梦龙上了出租车后，唐雨秋看着韩子飞得意地说："又漂亮又能干，还能做司机，真的很超值哦!"

"……"

投资观小结

韩子飞：

即使赢利，也是如履薄冰。

尹义中：

期货操盘手一定要爆过仓才能成功的说法是错误的。

仓位满并不一定代表风险高，很多时候市场会出现高概率、低风险的投资机会。

方梦龙：

用期货来做贸易要比现货更畅快、更方便。

东方人在金融投资上比西方人更具优势。

预测只是给交易一个指导方向，一个概率上更高一些、赢面更大一些的方向，而不是必然胜出的方向。

价格的波动更多是由参与交易的资金性质所决定的。

第十三章　真　爱

任何幸福，都不会十分纯粹，多少总掺杂着一些悲哀。

——塞万提斯

东方俊带着剩下的 20 万回到上海，开着奔驰，住进价值 1 800 万的别墅，表面上过起了梦寐以求的富人生活，实际上每个月六七万的月供对现在的他来说是不可能完成的任务，仅剩的那 20 万元现金即使不吃不喝，供上三个月也就断粮了。幸好那别墅在几个月时间里已从 1 500 万涨到 1 800 万了，算是给了他一点心理安慰。

东方俊想要不要找小钟借 100 万先撑一段时间，但仔细考虑之后，觉得自己一个人实在不需要这么大的别墅，而且这别墅又不在市区，每次开车去浦东快则四五十分钟，慢的时候可能塞上两个小时。算算还是把别墅卖了比较合适，只是这新装修、新家具、新家电都可惜了。

恰逢上海的房价再次抬头，东方俊把别墅挂牌出去一个星期后就有人来看房，东方俊索性呆在家里，打算等别墅卖出去之后再去浦东的太华期货上班。中介公司总共带来三波人，第一波是老外，一家跨国公司在上海的外方高管，这种洋鬼子年薪可以达到四五百万元人民币，还有每个月三五万的住房补贴；第二波是浙江人，事业有成的中年企业家，外表精练，比较实在却也懂礼节；第三波则是山西人，看样子是富二代，没准他们花的钱上还流着煤矿工人的血汗。

最后东方俊决定把房子卖给那位中年企业家，双方几乎没有讨价还价，按照 1 800 万成交，只是便宜了那家中介公司，两个星期就把房子卖出去，这么一倒腾，赚了二三十万。

离开别墅的那一天，东方俊并不伤感、也不遗憾，更没有什么失落情绪，这里似乎没什么可以留恋的，或许佘山的别墅根本就不曾属他。除了几件衣服，他也没什么要带走的了，上奔驰，去浦东吧。

又是那家宾馆，又是那些服务周到、笑容甜美的服务员，这里可能才是东方俊的半个家。

回到太华期货的大户室，东方俊没有急着动单子。也真是难得，太华的崔总一直给他保留着这间可以侧面望江的大户室，可能是这么多年他对太华多少有些贡献，也可能只是朋友情谊，又或许是人家不好意思让他走。谁知道呢？黄浦江依然流淌，路还是在脚下，永远在脚下。

别墅卖出后，东方俊回收 900 万左右资金，如果当时没有买别墅，恐怕早就归零了。要是在以前，有这点钱他早就大干快上了，可这一次他犹豫了。倒也不是害怕，只是犹豫而已。

这 10 个月在绍兴的经历给了东方俊从未有过的荣耀、冲动、骄傲、焦虑和悲痛，期货的起伏竟是如此，也不过如此，人心的险恶竟是那般，也不过那般。不管怎样，10 个月的经历，让东方俊深刻地认识了两个人，一个是张总，一个是自己。

在小钟眼里，10 个月后的东方俊已判若两人。以前的东方俊时而咄咄逼人、时而黯然神伤，现在的东方俊只是淡然微笑、轻言得失。

"这 900 万我要继续做期货吗？我不做期货又该做什么，又能做什么呢？"东方俊这样问自己，"赚钱重要吗？赚多少钱才算多呢？900 万够了吗？如果用中产阶级的标准生活，900 万够花吗？"

"如果期货不是我这一生中最重要的，如果赚钱不是我最核心的目的，那么什么才是最重要的，什么又最值得我去争取？"

东方俊突然有了答案。

对期货交易，东方俊似乎已经看透，他不再追求短时间的暴利，在行情不适合自己的时候为什么要参与呢？现在他用的是比较谨慎的趋势交易方法，只在行情合适的时候持仓，而且仓位只在 5%～20%之间，也不太去管日内行情的波动，盘中的倒手交易也不再操作了。

下午 3 点以后，东方俊没有心思研究行情，更没有兴趣和小钟那帮人混在一起。望着金光灿烂、货轮穿梭的黄浦江发了半个小时候后，东方俊决定回家。

奔驰停在小区门口，东方俊放下前门的玻璃窗，伸手去刷磁卡。

"东方先生，好久没见到你了，换新车啦！"小区的保安微笑着，表情中带着敬意和羡慕。

东方俊在小区地面的露天停车位停好车，漫无目的地走动。春夏之交，万物滋长，人工湖的微波虽没有黄浦江的力量，但它的婉约之美更让人感怀，四周的树木似乎又高了一些，而那些不知道名字的花儿也争相绽放。是啊，除了刚入驻的时候陪白灵在小区里逛过几次，之后就没有再亲近过这些花草树木了……

不知不觉，东方俊走到了 8 号楼下，他看了看手表，已经过 4 点半了，白灵再过一个多小时就要到家了，要上去看看吗？

从钱包里翻出门禁卡，东方俊走进 8 号楼。

从电梯里出来，东方俊停在 801 室门口。用手抚摸着 801 室的金属门牌，东方俊问自己："我还属于这里吗？"

他从包里掏出钥匙，心想这钥匙多半是不能用了。

"白灵居然没有换锁！"东方俊心里开心地叫了起来。他推门进去，房子还是这套房子，家是否还是那个家呢？

客厅的沙发依旧，茶几上躺着一些零食包装，有些已经开封了，有些还没有；餐厅里没有什么变化，只是餐桌上的花瓶空着；卧室里有点乱，被子没有叠，地板上还躺着白灵的两件衣服；东方俊打开书房，这里的摆设如故，电脑用套子盖着，桌面上有一层薄薄的灰尘。

回到客厅，东方俊看到他和白灵的婚纱照被取了下来，放在了沙发边上靠墙的位置。他拿起相框，看着白灵笑得那么灿烂，眼睛不免有些湿润了……

第二天下午，东方俊在收盘后做的第一件事情就是去买一束花，然后回家，把它插在餐桌的花瓶中，然后，在白灵回家之前半个小时离开。

这天白灵回来得早一点，刚好与东方俊错开几分钟，推开门，一股芳香迎面而来。

这是香水百合，是她最喜欢的花，她已经几个月没有买花了。白灵走进餐厅，放下便当和挎包，双手捧起百合，闭上眼睛深深吸气，那股香味令人陶醉。

花是谁买的呢？

谁可以开门进来呢？

白灵有些惊喜，也有些黯然。

之后的每一天下午，东方俊多了一项例行公事，就是买一束香水百合带回家，再把每天换下的香水百合带回宾馆或是拿去办公室。

东方俊想，当他送到第 100 束香水百合的时候，白灵或许能够重新接受自己。

白灵也慢慢地习惯了白天的香水百合，再后来还有一些小小的期待。她开始收拾客厅和卧室，还专门把书房打扫干净，偶尔也会在餐桌上留下一些点心。

东方俊很欣喜地看到家里的一些小小的变化。他把结婚照放回原处，白灵没有再取下来……

论坛每天的维护占用了唐雨秋大部分时间，以前她都是很开心地处理那些帖子，并且也经常写一些热门的讨论帖。而这次她主动提出招一个助理协助她，主要是分担论坛的管理和维护工作，韩子飞当然同意，于是唐雨秋在一个星期后就招进了一个新员工。

这是一位 1986 年出生的女孩，孙苗苗，虽然没有刘佳妮那样活泼可爱，但工作态度比较认真，如果说刘佳妮适合在外面跑业务，那么孙苗苗倒是非常适合待在办公室维护论坛和做一些文秘的工作。唐雨秋花了两个星期时间不厌其烦地手把手教孙苗苗如何管理论坛、如何维护那些高手的帖子、如何发现和删除广告帖，并教她以后如果和韩子飞出去采访高手的时候需要注意什么、记录什么，访谈完之后如何把专帖整理出来……这个女孩子倒也上路很快，于是韩子飞让唐雨秋把重点转移到访谈。

近期，一个网名叫"洪哥"的论坛会员比较活跃，而且从发帖的观点来看，可能有着比较丰富的交易经验，或许也是位高手。韩子飞让唐雨秋特别注意这位洪哥，如果能够联系上，获得进一步的信息则更好。

经过了解，原来这位洪哥是做权证出身的，目前除了做权证还做一些期货活跃品种的日内短线交易，他的赢利方法已经比较稳定，一个星期 5 天的交易，平均下来总有三四天是赚钱的。从唐雨秋初步了解的情况来看，根据洪哥目前的下单量，他至少有三五千万的资金在交易。

韩子飞心想：都说日内短线交易是最难长期赢利的交易模式，也是最容易摧毁交易者精神意志的交易方式，洪哥是怎么做到的呢？他是完全凭感觉做，还是做类似量化投资的高频交易？

韩子飞很想会一会这位洪哥，于是让唐雨秋邀约他在论坛做一个高手专帖。洪哥很热情地答应了，或许高手都是孤独的。

"韩哥，我想和洪哥约在这个周末，我和你去一趟厦门。"厦门一直是唐雨秋想去的城市。

鼓浪屿、郑成功、白鹭洲、厦门大学……唐雨秋从网上下载了一大堆资料，整理并打印好，还专门去书店买了一张厦门地图，甚至还学了几句简单的闽南话，制定了详细的"旅游攻略"。

飞机在晚上7点左右降落在厦门高崎国际机场。两人欢快地走出机场，他们似乎已经闻到了海风的气息。

厦门是一个岛，一个没有冬天的城市。她的海不像大连那样缺乏生机，也不像三亚那样被过度开发。她是纯净却又适合居住的城市，繁华却不乏安静，现代却不缺文化。从古代的一个小渔村到近代的通商口岸，再到现在的特区，厦门，她承载着美丽的自然风光和厚重的历史印迹。

厦门是一个浪漫温馨的城市，大榕树下总有一对对情侣相依；厦门也是一个热情洋溢的城市，木棉花开，观音茶香。

两人入住白鹭洲边的金雁酒店，刚刚放下行李，唐雨秋就拉着韩子飞出去了。

筼筜湖本是筼筜港的一部分，20世纪70年代，沧海桑田之后，筼筜港消失，筼筜湖出现，她是厦门唯一的人工湖，是一个咸水湖。白鹭洲便是这湖中的小岛，可谓是岛中之岛。

黄昏的时候，白鹭女神像周围常有白鹭翩飞，只不过现在已经是晚上9点，白鹭早已归巢了吧。

唐雨秋牵着韩子飞从湖滨南路拐到白鹭洲路，筼筜湖的夜景映入眼帘。围绕着筼筜湖的酒店和高档住宅的灯光投射在微波泛起的湖中，顿时金鳞翻动，恰似当年的渔火。

不知不觉走到了白鹭洲的中央，右边青翠的草地在路灯下显得更加安静；左边是音乐喷泉，它是厦门最浪漫的地方之一，红橙黄绿青蓝紫，各种颜色的灯花在喷泉的水柱和雾气中朦胧开来，水柱的形态、喷泉的节奏还有灯光的变换，都踩着音乐的节拍，时而舒缓时而激昂。

唐雨秋不停地惊叹，这一回连韩子飞也差点醉了。

他不禁有点期待接下来的几天旅程，不是工作，也与洪哥无关。

第二天，两人从轮渡码头乘游轮到鼓浪屿，唐雨秋拿出一张《走进鼓浪屿》的自助游攻略地图，找出她早已用荧光笔画好的路线。

唐雨秋先是带韩子飞参观了领馆区，据说鸦片战争后有13个国家曾在小岛上设立领事馆。他们主要看了英国、日本、西班牙的原领事馆。鹿礁路34号的原西班牙领事馆，如今是一座天主教堂。这是一座哥特式单钟楼教堂，建筑外立面纯白无暇，共三层：一层为入口，二层为歌经楼，三层为钟塔。

随后是登日光岩。日光岩的高度只有海拔92.68米，却是鼓浪屿的最高峰。日光岩上最著名的是郑成功纪念馆，据说自从郑成功的雕像竖在鼓浪屿的皓月园之后，厦门的台风就少了。唐雨秋像导游一样对韩子飞解说：当年民族大英雄郑成功在日光岩屯兵操练，为了缓解士兵中秋思乡的寂寞，他发明了博饼的游戏，这个游戏不限人数，以月饼做赌注，中状元的得最大的月饼。如今博饼的游戏在闽南已是群众性游戏，而且奖品也越来越丰富。

从日光岩下来，腹中已感饥饿。于是唐雨秋带韩子飞到泉州路上的鱼丸店，据说这是鼓浪屿上最好吃的小吃，自助游攻略上说，到鼓浪屿旅游若是没有吃这家店的鱼丸算是白去了。

下午，唐雨秋这位称职的"导游"先是带韩子飞去参观钢琴博物馆，这里有70多架古钢琴，均是出生在鼓浪屿的胡友义先生捐赠的。其中最"老"的钢琴是一架四角钢琴，是1801年由英国的克莱门第制造，因为当时还没有发明铸铁，钢琴的发音板和钉弦框都用木板制成。斯坦威钢琴、罗西尼钢琴、博森多福钢琴……看到这些名贵的钢琴，唐雨秋总有跃跃欲试的感觉。

之后两人来到了菽庄花园，它就在钢琴博物馆的南边，由于中日甲午战争的爆发，台湾富商林尔嘉在1895年携眷寓居鼓浪屿，而菽庄花园是他于1913年建造的，目前他的铜像还在园中。菽庄花园是厦门名园之最，其最大特点是借山藏海、动中有静，有壬秋阁、四十四桥、叠石、假山、顽石山房等小景。花园的左侧是港仔后海滨浴场，海水比较清净，唐雨秋和韩子飞虽都是江南水乡长大的，下海游泳可都是第一次。唐雨秋游了一会儿就上沙滩休息了，她躺在遮阳伞下喝着椰汁，看韩子飞在浪中"拼"了半个多小时。

接着唐雨秋拖着韩子飞进入一条小巷子，在一个卖土笋冻的小摊前坐下。其实这土笋冻的原料就是海滩上挖出来的土蚯，也就是沙虫，将沙虫熬煮，让它所含胶质溶入水中，冷却后即凝结成土笋冻。这东西虽然味美甘鲜，但看上去还是有点恶心，唐雨秋蘸了蘸酱油，闭上眼睛才敢吃下去。

最后一站是海底世界。

从海底世界出来，已是晚餐时间。唐雨秋看了看地图，又拉起韩子飞七拐八拐到了一个海边的大排档，两人吹着海风，吃起海鲜大餐。

"你对鼓浪屿很熟悉啊！"韩子飞夹起一块膏蟹，"好像每个景点都清清楚楚，牛啊！"

"我可是天生的导游。"唐雨秋得意地笑了起来。

韩子飞看着唐雨秋得意的样子，有些不屑："我看你是以前来玩过吧。不然怎么这么熟！"

"人家也是第一次来！"唐雨秋假装生气，"这不是花了很多时间做功课，才制定出这么好的攻略！你还不领情，再不领情就不让你吃海鲜大餐了！"

"好好好，我领情，我领情，多谢唐小姐，万分感谢唐女侠！"

"这还差不多。"

周日上午，两人来到厦门大学。

厦门大学毕业的人一般都会有一句口头禅："我可是厦大（吓大）的！"

一早，唐雨秋就带韩子飞坐 15 路公交车到厦大南普陀校门，厦大有好几个校门，比较正规的是三个，即南普陀校门、西村校门和白城校门。一所大学的门口是一座香火旺盛的寺庙，这可能全世界都找不出第二处。

都说厦大是中国最美的两所大学之一，另一所是武汉大学，后者是因为有樱花，而厦大最著名的便是芙蓉湖、情人湖和上弦场。韩子飞上一次匆匆来厦大已是 10 年前的事情，如今的厦大早已变了模样。

韩子飞印象最深的是芙蓉湖边的嘉庚楼群，这是厦大 80 周年校庆时落成的，取名"嘉庚"是为了纪念校祖——爱国华侨陈嘉庚先生。这五栋建筑四低一高，以斜屋面、红瓦、拱门、圆柱、连廊、大台阶为基本特征，是典型的嘉庚风格建筑，五栋楼各自的名字也颇有意味，分别是主楼颂恩楼和辅楼保欣丽英楼、成枫楼、钟铭选楼和祖营楼。

芙蓉湖边杨柳依依，读英语的女生、垂钓的老教授、相拥而坐的年轻恋人、练太极的中年男子、遛狗的老外，每个人都在享受芙蓉湖边的风和日丽。

回到绰约幽婉的校园，韩子飞的脑海中不免浮现出中山大学的轮廓，还有那美丽雪儿的笑脸……

"快看，白鹭！"唐雨秋兴奋地叫了起来。

两只白鹭点水而过，停在湖心露出水面的石头上相依相偎。

从白城校门走出厦大，再从白城海滩走到厦大音乐系，这一路尽是绿树、蓝天、大海，这样的道路上海、北京是不会有的，杭州恐怕也不会有。

艺术学院，坐落在厦大的东南部，这里更靠近青山和大海，或许也更能激发学生们的艺术细胞。周末上午的艺术学院比较安静，唐雨秋和韩子飞向其系楼走去。

一位大伯拦住了他们，这位大伯看上去 50 多岁，普通话夹杂着很重的闽南口音，他也许是这里的保洁员兼保安员。

唐雨秋把大伯拉向一边，轻轻地说了几句，然后回过头向韩子飞眨眨眼睛。

"你刚刚和那位阿伯说了什么，怎么又让我们进来了？"韩子飞比较纳闷。

"不告诉你。"

两人进入一间公共教室，这里有一台三角钢琴，唐雨秋告诉韩子飞，这台钢琴是所有音乐系的学生都可以用的，有些时候还会有人在这里斗琴。她走到钢琴边，用手轻轻抚摸，然后翻起键盘盖，温情地冲着韩子飞说："韩哥，我为你弹首曲子吧。"

"你会弹……"韩子飞看到唐雨秋虔诚的眼神，赶紧把后半句咽下去，"弹什么曲子呢？"

"先弹《鼓浪屿之歌》吧。"

说罢，唐雨秋熟练地弹起琴键，美妙的音乐缓缓而来。

韩子飞看着唐雨秋认真而又享受的表情，沉醉在优美、深远的琴声中。

一曲作罢，意犹未尽。

"再来一首吧。"

"好的。"

唐雨秋深吸一口气，再次融入角色，弹起《蓝色生死恋》。

这一首曲子舒缓而柔情，韩子飞也闭上眼睛细细品味。柔情中，他感受到一缕挥之不去的忧伤。

"这首曲子叫什么，怎么有点忧伤?"琴声停止，韩子飞睁开眼睛。

唐雨秋两眼模糊，眼泪在眼眶中打转。

韩子飞看到唐雨秋弹得有些伤感，便不再追问。

中午，唐雨秋提议就地品尝厦大食堂的饭菜。他们到石井女生食堂，这里虽叫女生食堂，过来吃饭的男生也不少，两人花了20多元钱，便已是一桌丰盛的午餐了。

"据说厦大的男生都很喜欢到石井女生食堂吃饭，你知道为什么吗?"韩子飞故作神秘地问。

"不知道，为什么呢?"

"主要有两个原因，一是这里的饭菜更好吃，二是他们可以看到穿着各种睡衣的女生。"

"哈哈。"唐雨秋差点喷饭。不过她四处张望一下，果然有不少女生穿着睡衣打饭。看来韩子飞只不过是现学现卖罢了。

吃完饭，双人旅程结束。两人必须马上转换角色，去见洪哥。下午2点，韩子飞和唐雨秋来到云海山庄门口。这里是厦门最高端的别墅社区，如果出租车载的不是这里的业主，只能停在门口。

刚从出租车里出来，唐雨秋的手机就响了，是洪哥的电话。

"我在你们右手边，一辆黑色的车边上。"洪哥站在车边向他们挥手。

洪哥穿着蓝色的牛仔裤和略带粉红的 T 恤衫，一手拿着手机，一手搭在一辆黑色的林肯上，看上去不到 35 岁。

　　"你好，唐小姐。你好，韩子飞。"洪哥和他俩分别握手。

　　坐上了林肯才知道什么叫平稳，什么叫静音，韩子飞不禁在心里感叹。林肯车在小区内的坡路上拐了三个弯之后停在一栋别墅下。这里的别墅都是背山面海，依山势而建，洪哥的这栋在相对上游。白墙、灰瓦、马头墙、格子窗、大面积落地玻璃窗、鹅卵石小道、一小片竹林，唐雨秋暗自在心里总结，洪哥的别墅风格是现代简约中式。

　　韩子飞和唐雨秋刚一进门，一位扎着马尾辫、30 岁左右，同样是装着牛仔裤和 T 恤衫、朴素却不乏女性魅力的女士迎了上来："欢迎到我家做客。"

　　"这位是我太太。"洪哥微笑着介绍。

　　"洪嫂好。"唐雨秋热情地向女主人问候。

　　白色的墙壁、灰色的地砖、明朝款式的白色桌椅，大吊灯由 8 只小灯笼组成，客厅的沙发面是淡棕色的织物，沙发底是深褐色的木质材料，沙发后面的墙壁上一块扇形的突起，中间有一幅彩色的梅花图。看来洪哥是中式建筑的发烧友。

　　"我带客人到三楼的书房。你拿一点新买的铁观音上来。"洪哥吩咐道。

　　楼梯边上的墙壁有些大大小小的方孔，一些装饰品点缀其中，最引人注目的是一个彩瓷花瓶和里面的几根孔雀羽毛。上了二楼，韩子飞已能从窗户看到广阔的大海，到了三楼视野则更为宽阔。

洪哥书房里的书架不大，各类书籍整齐地排列着，从书的种类可以看出他看书比较杂。这个房间说是书房，其实更合适的叫法应是"操盘室"。洪哥的办公桌上共有 8 台显示器，第一排 5 台，第二排 2 台，第三排 1 台，这 8 台显示器接在 3 台电脑主机上，这架势韩子飞从未见过，感觉有点像黑客的工作环境。

靠窗是一个喝茶的地方，茶桌由一个大的涂漆树桩雕镂而成。上面摆放着一套专业茶具，一个紫砂壶，一个白瓷壶，一个瓯杯，八个小茶杯，一个过滤器，一根茶挟。茶桌边上是四个小木桩，也就是椅子。

窗外是一个安装了玻璃顶的大露台，洪哥说，如果天气好，在这个露台上可以用望远镜看到台湾的小金门岛。露台上有一个铁架，上面挂了两把藤椅，露台的一角栽种了两棵小树、几盆盆景和一些不同种类的花。若是在夕阳西下时，能坐在藤椅上相依看海，该是多么浪漫、多么惬意啊，唐雨秋心想。

洪嫂拿上来一罐安溪铁观音后，寒暄几句便下去了，看得出来，她对洪哥是有一丝敬畏的。

洪哥拿出一小包铁观音，没有马上拆开，而是用开水把白瓷壶和瓯杯冲泡了一下，把水倒出后，再把那包铁观音拆开放入瓯杯，冲入开水，盖上盖子。一两分钟后，洪哥把瓯杯中的茶水倒入白瓷壶，再用白瓷壶冲泡三个茶杯，第一泡的茶水是用来洗杯的。

第二泡依然是先冲瓯杯，然后倒入白瓷壶，再冲入茶杯。此时整个房间已溢满茶香，洪哥端起茶杯请韩子飞和唐雨秋饮茶。

三人边品茶边聊洪哥的投资经历，说起股票、权证、外汇和期货，洪哥确实有很多故事。

洪哥出生在黑龙江的一个小村庄红星村，上高中之前没有离开过宝泉镇，上大学之前没有离开过克东县。直到考上了哈尔滨工业大学他才真正走出农村，发现外面的世界很精彩，而对没有任何背景的他来说精彩的世界必须靠双手和头脑去征服。

大学毕业后，和很多同学一样，洪哥来到了北京，在北京一家还算不错的电脑企业工作了一年，这一年里洪哥很想为公司做几件大事，可惜身边的同事90％都是只说大话不干实事之流，斗志受到打击之后，洪哥毅然辞职来到深圳。到深圳后，洪哥在见不到阳光的农民房里待了两个月，最后在师兄的介绍下，凭着自己的专业技能再加上一点运气，应聘进入华为工作。在鱼龙混杂、但确实是靠真本事吃饭的深圳，洪哥开始发光发热。在华为的三年时间，他从月薪3 000元一路涨到月薪1.5万元，这在当时的深圳也算是高收入了。

正当事业蒸蒸日上之时，一个偶然的机会，在不算太熟的朋友的介绍下，洪哥接触到了外汇交易和香港恒生指数期货交易。一开始他对金融投机比较反感，但在朋友的怂恿下和一些财富传奇故事的刺激下，洪哥拿了一点小钱尝试着做香港恒指期货，之后也开始尝试外汇买卖。可能是因为电子技术出身的原因，也可能是天生对数字敏感，洪哥从一开始看K线图，到后来看实时闪电图，再后来直接看盘口成交价格和档口报价，均能在摸索之后找到赢利的方法。

就这样过了一年，洪哥发现做金融投资赚的钱比工作的收入还高，于是他决定辞职专职做外汇和恒指期货的投资。当时他主要炒外汇，做日内短线，因为外汇的保证金杠杆更高，也更刺激，恒指期货就很少参与了。随着时间的推移，洪哥的交易技术越来越精湛，赢利能力越来越强，赚得最快的一次是一天把本金翻了 2 倍。就这样他很快就有了第一个 100 万、第一个 500 万、第一个 1 000万。洪哥觉得做短线，一方面要看适合自己的交易指标和数据，另一方面临场反应和判断，或者说是盘感也很重要。

但是好景不长，因为当时的洪哥还是单身，生活上自律性不强，加上深圳本来就是一个花花世界，有了钱之后他出去鬼混的次数越来越多，认识的狐朋狗友也越来越多。有一次在酒吧，一个朋友给他嗑药，当时所有人玩得都很 High，洪哥回到家时已是凌晨 1点左右，刚好是外汇成交最活跃的时候。于是他借着药力猛做一通，结果连续几次都是做反，而且越是亏钱就越不理智，越做越猛，那天几个小时就亏了本金的 70%。

等第二天醒来，打开账户一看，里面只有 1 万多美元了。因为当时洪哥有关机睡觉的习惯，留的单子走反了，外汇代理公司打电话提醒却打不进来，在通知不到的情况下最后只好强行平仓。

在这样的情况下，洪哥果断地停止了交易。为了惩罚自己，同时突破自己，洪哥把自己关在房子里过了一个月的闭关生活。他买了很多书，交易技术类的、操盘手故事类的、投资心理类的，甚至还有精神分裂类的。那一个月时间，基本上就是看书、做笔记、吃泡面。

"出关"之后，洪哥给自己制定了三条简单的交易纪律：

第一，坚持自己的交易方法，只做属于自己的机会，不随意出手。

第二，只做日内短线交易，绝不隔夜。

第三，每次赚到 50％之后，必须取出一半的利润。

就是坚决执行这三条简单的纪律，那次大亏以后，洪哥没有再跌倒过。他的本金又继续增长起来。

后来国内 A 股市场的权证也热了起来，洪哥看到炒权证也有大量的赢利机会，于是尝试性地做了一点权证交易，没想到效果不错。又因为他当时不想再过黑白颠倒的生活，就停止了外汇交易，转向专做国内的权证。一开始，他也是用小钱尝试着做，一个月后基本搞清权证短线交易的门道之后，慢慢加大资金，并走向相对稳定的赢利，一直到现在洪哥还在做权证。

因为当时做外汇和权证赚了一点钱，洪哥在 2003 年的时候在深圳买了一套小房子，当时主要的钱还是放在金融市场，买房子只是为了有个属于自己的空间。

2004 年五一长假，洪哥到厦门旅游，认识了现在的太太。洪嫂当时是厦门一家旅行社的导游，洪哥在参加她带的旅行团的时候看上了她，之后花尽心思追到了洪嫂。洪嫂是典型的福建女子，是贤淑的惠安女，洪哥说能娶到她真是最大的幸福。

2005 年洪哥在厦门买了一套公寓，然后定居在厦门，2005 年底和洪嫂结婚。2006 年又在云海山庄买了现在住的这套别墅。洪哥认为，既然他在金融市场赚点钱不难，那么在自己能力范围内，花钱提高家人的生活水平都是应该的。现在洪哥的父母、岳父母都和他们住在一起，有时候在早上或收盘后，一家人到海边走走、慢跑，或是在小区里打羽毛球，很是惬意。

2008 年，他们的宝宝出生了，本来想取名叫洪金宝的，后来想想算了。宝宝一出生，一家人又开心很多，洪哥自己也感觉快乐不少。洪哥说，他的宝宝是在新加坡出生的，入的是新加坡国籍。他说他自己是不会定居国外的，但是为孩子多留一条路总是好的。

洪哥坦言，自己的身家已经过亿，这些钱主要还是从权证市场上赚到的，毕竟中国的股市容量比较大，而且这几年权证也特别火爆、疯狂。现在洪哥也做一点商品期货，操作手法还是日内短线，做的品种都是橡胶、白糖、铜等成交量比较大、日内波动也比较大的品种。不过洪哥做商品期货主要是为了给自己练练兵，是为以后的股指期货打基础、做准备。洪哥认为股指期货正式上市后，容量一定会大于任何单个商品期货品种，甚至会超过所有商品期货的总和，市场的赢利机会会大到一般人难以想象的地步。

目前，洪哥除了主要以人工的方式做日内短线交易之外，还在尝试用电脑自动下单、人工监控的形式做高频交易。为了做高频交易，一方面洪哥做了很多技术上的开发和投入；另一方面，他也让开户的期货公司为他专门配备了服务器，因为他认为做高频交易，除了交易方法在理论上必须能够达成赢利以外，成交速度也很关键。

洪哥认为，随着市场容量的不断扩大，特别是以后股指期货上市后市场成交规模的成倍增长，还有投资者群体整体交易水平的提高，或许日内超短线和高频交易是一条不错的道路。

林肯车上，洪哥开车，韩子飞坐在副驾驶的座位上，唐雨秋和洪嫂坐在后排。夕阳下的环岛路风光无限。车子停在了海边的佳丽餐厅，这应是厦门最高档的餐厅了。

厦门煎蟹、柠香铁板煎明虾、金牌酱鲜鱿、椒味皮螺片、蜜汁天山雪莲藕、鹅肝鱼子蒸蛋、白酒介子干贝、插老蛏，洪哥点了八道菜，为了照顾"外地人"，基本上以海鲜为主。本来洪哥不能喝酒，因为他要开车，但一来没酒没气氛，二来下午聊得畅快晚上需要有点酒助兴，于是开了一瓶法国波尔多1998年的红酒。男生喝酒，女生喝玉米汁，这样吃完饭开车的任务就交给洪嫂了，真是喝酒开车两不误。

雷同的菜系，换一个环境，换一种容器，多一些服务，价格就能涨10倍甚至更多。可能吃饭第一讲究的是氛围，第二才是口味，因为唐雨秋和韩子飞都觉得，从菜的品类和口味来讲，这顿饭和前一天晚上在鼓浪屿的海鲜大排档吃的相差无几。

吃完晚饭，林肯专车送到机场，洪哥洪嫂甚是热情。

飞机还没起飞唐雨秋就睡着了，或许是太累了吧。也够难为她的，准备了如此充分的攻略。

韩子飞睡不着，他思考着：对于洪哥擅长的短线交易赢利模式，自己无法在短时间内取得突破，只能作为长期的研究课题，但对于自动或半自动的程序化交易，则可以作为近期的主攻方向。因为自己现在做的趋势交易和套利交易本质上都是相对严密的系统化交易，只要对进出场参数进一步量化就能编成程序，只是还要学一下编程平台的语言。

回到上海的第二天，唐雨秋没有来上班。韩子飞觉得她在厦门这两天应该累坏了，于是发去短信"慰问"：厦门二日游，多亏唐大小姐的悉心照顾，好好休息一天，明天再来上班。

傍晚下班的时候，韩子飞打开邮箱，看到唐雨秋发来一封邮件，是洪哥的专帖整理稿，这丫头原来没在休息，而是在家工作呢。

第三天，唐雨秋还是没有到公司。韩子飞有点担心了，可打电话过去却是关机状态。第四天，还是没有唐雨秋的音讯。

这丫头会不会生病了？正心急纳闷着，快递员送来一封快递。韩子飞打开一看，是唐雨秋写给他的一封信，里面还有帕萨特的钥匙，这丫头在玩什么呢？

韩哥：

还记得第一次我们在唯尚咖啡见面的情景吗？我时常在想，你出生的时候天空的那朵云彩会有多绚丽。

感谢韩哥陪我走了19个月，这19个月是我一生中最快乐、最无忧的时光。你的认真、你的执着、你的善良、你的才华……无不深深感动着我，还有你对我的关照和爱护，这一切对我来说都是最宝贵的财富。

在厦大音乐系我弹的曲子名字是《蓝色生死恋》。韩哥，但愿厦门之行能给你留下深刻的印象，但愿你能永远记住我。

韩哥，每个人都有自己要过的生活，凭你的才智和事业心，一定能在金融投资市场发出耀眼的光芒。而我，也要去过属于我自己的生活了。

请你不要问我去了哪里，不要问我为什么离去，也不要来找我，不要惦记我，我会过得很好，我会一直祝福你。

帕萨特还是停在公司楼下的地下车库，你已经学会开车了，以后就自己开吧，不过路上要小心，不要酒后驾车。

韩哥，我知道蓝雪在你心中的分量，你很爱她，以前，现在，恐怕将来也是。但我希望你最好还是忘记她，然后去找一位真正适合你的女孩，过上属于你的幸福生活。

雨秋

韩子飞不知道为什么突然这样，但直觉告诉他雨秋肯定有什么事瞒着他。他打车去唐雨秋租住的小区，雨秋的小屋关着门。再问小区管理员，说是她早上刚搬走，至于搬去哪里没有说。韩子飞突然发现，除了雨秋的家庭地址，再也没有别的联系方式了。

"韩哥，你在哪里？你要来找我，来找我……"
蓝雪的呼唤，划破夜的孤独与寂静。

韩子飞从梦中醒来，打开电视，他已经连续一个星期做同一个梦了。

"雪儿，你是让我去找雨秋吗？"

寻　雨

无声细雨，

轻轻地来　轻轻地走。

雨花飘起，

凝成晶莹一朵，

那是春天里的花，

站在风中。

流动的花　站在风中，

不胜微风的娇羞，柔美多姿。

随风飘散的，

是你淡雅的容颜　和迷人的体香。

寻香奔走　寻不到。

流动的花　站在风中，

飘起爱恋　飘落雨迹。

　　之后几天，虽然每天还是对着一堆数字红绿跳动，韩子飞已没有心思交易。雨秋突然不见了，韩子飞觉得就像失去了左右臂膀，工作中没有她不行啊，真的只有工作上的依赖吗？韩子飞强迫自己每天看盘，每天根据交易规则算出可能操作的点位。感性，不是他的作风。

　　晚上，他算好第二天可能要操作的数字，QQ 上发给了曾三虎。一早，曾三虎收到数据后，感觉有点不对劲，他想和韩子飞提一下是不是算错了。但韩子飞一直到 9 点才勉强到公司，这几天他心情又不太好，于是曾三虎没敢提出。

　　"你今天怎么搞的，怎么可能是以这个点位进场呢？"下午收盘，韩子飞检查曾三虎操作的几个账户的交易记录，大为光火。

"这是您给我的数据啊。"

"不可能，那我自己执行的数据为什么不是这个呢？你知不知道就因为你的错误操作，这几个账户额外亏损了5％。"

"这确实是您给我的数据，我也觉得不太对劲，只是我不敢和您说，只好照做。"曾三虎委屈地说。

"我们检查一下聊天记录就知道是谁弄错了！"韩子飞心虚地说，昨天发信息的时候确定是没有像往常一样检查两遍。

韩子飞点开与曾三虎昨天的聊天记录，果然是他自己发错了数据。

"三虎，对不起，是我弄错了，你先出去吧。"

再三考虑之后，韩子飞决定停止交易，目前他的状态根本不适合交易。他把所有账户的持仓全部平掉，给了曾三虎半个月的带薪假期。

现在，他唯一要做的，就是找到雨秋，怎样才能找到唐雨秋呢？

韩子飞再次赶去康平路，找管理员要到唐雨秋房东的电话。

"陆太太吗？"

"是的，侬啥人？"

"我是之前租你房子的唐雨秋的朋友，我叫韩子飞。"

"哦，韩先生啊，你是来帮唐小姐拿回一个月的押金的吧。她走的时候虽然还有两个月的租期，但这个钱是不能退的，协议上写得清清楚楚的，最多只能退一个月的押金，侬晓得哦？"

"押金以后再说，你和唐雨秋签租房协议的时候，有没有留下她的身份证复印件？"

"协议上身份证号码倒是有的，复印件没有。"陆太太有点疑惑，她还以为韩子飞是向她要回三个月的租金，没想到他只要身份证复印件，"侬是哪位啊？要唐小姐的身份证复印件干什么，那可不是随便可以给侬的。"

"我是她公司的领导，她离职了需要做个登记。她的手机可能丢了，我联系不到她，她还有一个月的工资没拿呢！"韩子飞赶紧说一个陆太太能够相信的理由。

"我这边是没有复印件的，房产中介那边可能有，侬去小区附近的鑫欣房产中介问问小顾，顾小姐吧。"

虽然没有结果，他总算有了线索，韩子飞欣喜无比。

小顾是个大连姑娘，比较热情。韩子飞和她说了实情，小顾也挺着急，连忙拿出一大堆合同帮助韩子飞一起找。

两人翻腾了一个多小时，终于找到了当时唐雨秋和陆太太签订的租房协议，韩子飞赶紧打开，里面果然贴着两张身份证复印件。守得云开见日出的感觉油然而生。

唐雨秋身份证上的住址是浙江省杭州市西湖区浙大路 38 号，雨秋不是义乌人吗？上网查了才知道原来这是浙江大学玉泉校区的地址。

玉泉校区绿树成荫，草地开阔，但韩子飞没有心情看风景。他拦住一位同学问了招生办在哪里后，便快步走了过去。

"老师你好，这里是招生办吗？"韩子飞敲了敲门，站在招生办门口。

"是的，外面不是有牌子挂着吗？"穿白衬衫的年轻男子好像很不耐烦的样子，可能他经常被问这样的低智商问题。

"请问你们这里有往届录取学生的登记资料吗？"韩子飞试探性地问了问。

"有的，不过你是谁？问登记资料干什么？"

韩子飞豁然开朗："我想来查一位叫唐雨秋的女生的资料。"

"这里是不能随便查的。"年轻男子冷冷地说。

没有办法，韩子飞只好把实情告诉他。老板来找消失的员工？来找消失的朋友？似乎都不够有说服力。

"说什么来找好朋友，费这么大周折是丢了女朋友，才找到这里来的吧。"年轻男子偷笑，"想在我们这里查资料，最好有学校的盖章，不然随便谁都来查不是乱套了。"

这位年轻人倒是给自己一个不经意的答案，不管怎么样，有了希望。

但学校的盖章，这又要找谁啊？

韩子飞郁闷着。

"王主任。"

一位形象干练，看上去40岁出头的女士走进招生办，想必她就是这里的领导了。

"王主任，您好！我叫韩子飞，我想请你们帮个忙，找一个叫唐雨秋的女生的登记资料。她可能是2000年之后入学的。"韩子飞转向王主任，或许找她更有希望一些。

"这里的资料不能随便翻。小李你没和这位韩先生说过吗？"王主任有点不高兴。

"我已经和他说了好多遍了，可他还在这里。"小李无奈地推脱。

"王主任，我知道这里不能随便翻资料，不过……"韩子飞再次把目的说了一遍。

王主任看着韩子飞，淡淡地微笑了一下："你跟我进来吧！"

韩子飞在一大堆资料里找了整整 3 个小时终于找到了浙江大学当时给唐雨秋寄入学通知书的信息，不过当时并没有留下电话，只留了地址和邮编。

韩子飞到杭州火车站买了第二天一大早去义乌的火车票，然后在火车站附近的旅馆休息了一晚。

根据他抄下的地址，出租车停在了一家工厂的大门口。这是一家叫"红宝石饰品"的企业，出租车司机说这是义乌乃至全国数一数二的大型饰品企业。

"你来找谁？"门卫室的保安拦住了韩子飞。

"我来找唐雨秋小姐，她是在这里吗？"韩子飞试探地问道。

"唐雨秋？这里的老板是姓唐。但我不清楚有没有唐雨秋这个人，你来找她干什么？"

"我是他的男朋友。"韩子飞很顺溜地回答道。

恰好一位穿着蓝色工作服的中年男子走向大门。

"邢主任！"保安大声叫道，"你知道唐雨秋是哪位吗？"

"唐雨秋？"邢主任想了想，"唐雨秋不就是我们老板家的大小姐吗，你问这个干啥？"

"这位先生来找她，说是唐小姐的男朋友。"

韩子飞冲邢主任笑了笑。

"唐小姐不是一直在上海吗？"邢主任有所不解。

"她应该是前几天回来了吧！？"韩子飞不能说她失踪了，"我找她有重要的事情。"

自称唐大小姐男朋友的韩子飞看着不像骗子，又说有重要的事情，邢主任不敢怠慢："那要不我去和老板娘通报一下，你等等。"

保安热情地请韩子飞到门卫室休息，给他倒了杯茶。韩子飞在门卫室等了大约半个小时之后，邢主任过来了："你跟我来，老板娘要见你。"

8层的办公大楼在整个厂区的东南面，离门卫室不远。邢主任带着韩子飞乘电梯到8楼，走到总裁办公室门口："你先等一下。"

邢主任敲了敲门。

"请进。"

"蔡总，韩先生在外面。"邢主任恭敬地说。

"叫他进来吧，给他倒杯水，然后你先出去。"

唐雨秋母亲的办公室至少有50多平方米，里面的格局和装饰不亚于上海一些大公司老总的办公室。

"蔡阿姨，您好！"面对这位既陌生又有几分亲切，还带一点敬畏感的女士，韩子飞有点紧张。

"韩先生。"蔡阿姨仔细端详着韩子飞。

"叫我小韩好了。"韩子飞在唐雨秋母亲面前不敢称先生。

"你专门来找我们家雨秋？"

"我和雨秋从厦门回来后，她给我留了一封信就不见了，她在义乌吗？"韩子飞急切地想见唐雨秋。

"雨秋出国读书去了。"

"去了哪个国家，哪所学校？我要去找她。"

"这个我不能告诉你，雨秋出国的时候交代的。"蔡阿姨无奈又略带伤感。

"您告诉我吧，我不能没有雨秋。我可以放下上海的一切去找她。"韩子飞说完这些，自己也吓了一跳。

蔡阿姨突然不知道怎么回答，顿了两分钟："你先回去吧，等雨秋想见你的时候，她自然会去找你。"

第二天，韩子飞直接找到蔡阿姨的办公室。

"你怎么又来了。但我真的不能告诉你她在哪里，我不想增加雨秋的痛苦。你回上海好好工作吧。"

第三天，门卫室的保安拦住了韩子飞，不再让他进门。

韩子飞在附近的一个小卖部待着，准备找机会混进去。

一个小时后，来了一辆大卡车，卡车司机和保安打了招呼之后，自动铁门慢慢打开。韩子飞贴着墙跑过去，躲在大卡车的一侧，跟着卡车一起进门。

再次看到韩子飞，再次听到他的苦苦哀求，蔡阿姨终于感动了。

"雨秋没有出国，她还在上海。"

"上海哪里?"韩子飞显得迫不及待。

"雨秋是个好姑娘,可是老天对她不公平,她得了白血病。"蔡阿姨哽咽着说,"她小时候得过白血病,后来治好了。这次不知为何复发了,医生说可能是劳累过度。"

又是白血病,韩子飞感觉整个世界都快坍塌了。

"现在已经是晚期了,除了干细胞移植,没有其他任何办法,不过目前医院还没有找到配对的干细胞。雨秋现在在上海的瑞金医院。"蔡阿姨神情黯然,眼睛有些湿润。

韩子飞脑袋发晕,泪水忍不住掉了下来。因为白血病,雪儿走了,现在唐雨秋患的又是白血病,老天为什么要如此戏弄自己?

投资观小结

东方俊:

人生中最重要的不是期货,赚钱也不是核心目的。

洪哥:

做短线,一方面要看适合自己的交易指标和数据,另一方面临场反应和判断,或者说是盘感也很重要。

坚持自己的交易方法,只做属于自己的机会,不随意出手。

只做日内短线交易,绝不隔夜。

每次赚到50%之后,必须取出一半的利润。

既然赚点钱不难,那么花钱提高家人的生活水平是应该的。

韩子飞:

操盘状态不好的时候,应该把交易停下来。

第十四章　回　归

生活中最大的幸福是坚信有人爱我们。

——雨果

每天的香水百合已成为白灵最大的期待，捧着芳香，好几次白灵都想要原谅东方俊了，可总觉得自己还没有完全准备好再次接受这个男人。

和往常一样，收盘后东方俊就去买花，然后开车回家。

今天已经是第 92 天，东方俊熟练地把昨天的香水百合取出来，再把新鲜的插进花瓶。然后拿着昨天的香水百合，走到客厅。

东方俊正要往沙发上坐，两张陌生面孔从卧室里出来，各自背着一个布包。

"你们是谁？在这里干什么？"东方俊质问他们。

两人互相对望一下。

"快跑！"年长的那位大叫一声，两人夺门而出。

"抓小偷！"东方俊反应过来，大吼一声，追了上去。

东方俊跑出门，看到他们从楼梯跑下去，估计现在去追也来不及了，再看了一眼电梯还在 18 楼，只有赌一把了。

东方俊焦急地等了二三十秒钟，电梯终于到了，他冲进电梯，还好，当他从电梯出来，两个小偷还没到一楼，但听着"咚咚"的脚步声已经越来越近了。

东方俊走出 8 号楼，在楼下停自行车和电动车的地方抓起一辆自行车，举过头顶。

很快两个小偷出现在 8 号楼门口，看到东方俊抬着自行车要砸过来的架势，年长的急忙说："大哥，我们把东西全部还给你，放我们走吧。"

"我弟弟还是个孩子，不到 18 岁。"

"赶紧把东西放下。"东方俊稍微有点心软了。

两人赶紧把布包放在地上，慌慌张张地准备离开。

"口袋里的东西也掏出来。"东方俊大声命令。

年长的从口袋里掏出一条项链、一叠现金，放在地上。年轻的从口袋里掏出两块巧克力、一枚戒指，放地上的时候，戒指掉了，滚动起来。

戒指从台阶上滚下来，正好落在带条形孔的下水道井盖上，转了个圈从孔里掉了下去。

狗日的！这可是东方俊买给白灵的结婚对戒。东方俊忍无可忍，用尽全力把自行车砸了过去。

年长的站在前面，他灵巧地躲开了。年轻的有点迟钝，没有避开。自行车砸在他左腿膝盖的下方，他顿时倒了下去，在地上痛苦地呻吟。

"妈的！"年长的抬起自行车往东方俊砸去。

东方俊躲不及，被车子的横梁砸在脑门上，眼前一黑晕倒在地。

东方俊醒来的时候，额头上绑着绷带，隐约看到一位女子关切地看着他，然后影像慢慢清晰起来……

"灵儿……"东方俊又惊又喜，挣扎着坐起来，两手抓住白灵的手，已经完全忘记了疼痛。

"你怎么这么傻，他们不就是偷一点东西，和他们拼什么命啊！"白灵又好气又心疼。

"那两个王八蛋！"东方俊提起那两个小偷，就按捺不住心中的怒气，"他们偷了我给你买的婚戒，还掉进……"

白灵用手指挡住东方俊的嘴巴，含情脉脉地看着东方俊，她心爱的老公又回来了："不说这个了，你下次再给我买一只吧。"

看到白灵已经原谅了自己，东方俊笑了，他等这一天已经等了一年多，只要能让白灵回心转意，别说是被自行车砸一下，被汽车撞一下都值得。

"哎哟！"脑袋一阵疼痛，东方俊忍不住叫了起来。

"你好好休息吧，别再冲动了。"白灵揉着东方俊的头，"医生说你有轻微的脑震荡，需要休息一个星期左右。"

"那不是更好！"东方俊心想，"这意味着你要服侍我一个星期，哈哈。"

"那我会不会变傻啊！"东方俊开始和白灵开起玩笑。

"变傻?"白灵笑了起来，露出洁白的牙齿，"你变傻最好了，变傻我就省心了。"

"阿俊，其实你本性不坏，我们俩在一起我从来没有后悔过。"东方俊出院后，白灵终于把憋在心里很久的话说了出来，"只是我想了想，你要是继续做期货，我们就很难再走到一起，你能不能换一个工作？"

　　白灵觉得东方俊之前所有的变化都是做期货引起的，只要他不再碰期货，就能变回原来那个开朗、善良、有才气、浪漫的东方俊了。

　　"可以啊，当然可以，我从明天开始就不做期货了，什么股票、期货、外汇、电子盘，这些东西再也不碰了。"东方俊坚定地说，"不，从今天开始就不做了。"

　　是啊，期货的魅力或许真的难以抗拒，它可以让东方俊沉迷、满足，给他无限的成就感，也可以让他恐惧、痛苦，给他无尽的煎熬，但这些都已经是过去的事情了。对现在的东方俊来说，期货就像是鸦片，曾经大量吸食，看透了，也就戒掉了。对现在的东方俊来说，任何一切都没有白灵重要。

　　"不过我想做一般的工作肯定会委屈你，给别人打工也不太适合你。"白灵想了想，"要不然，我们一起开一家公司，做房地产包装策划和销售代理，这些年中国的房地产市场很热，市场的机会也很多，我想房地产行业即使最疯狂的年代已经过去，也至少还有10年的稳定成长期，而且这一块业务我已经做了好几年，比较熟悉。"

　　"可以啊。只是我对这一块接触不多。"东方俊怕自己拖后腿。

　　"没事的，不懂可以慢慢学习，你这么聪明，有什么事难得倒你呢？"白灵半鼓励半取笑。

　　东方俊听出白灵话中的小小讥讽："是啊，你老公是万能的！

再说还有你这位贤内助帮忙，当然没问题了！"

"这样好了，你做董事长，我做总经理，公司前期的业务主要由我来管理，等你慢慢上手了，再把权力移交给你，如何？"

"那不是要辛苦老婆了？"

"只是太像夫妻店了，恐怕不太好。"白灵冷静下来，想到这一点似乎有问题，她还是想把公司做大的。

东方俊想了想："这样好了，你再找两个以前的同事做股东，比如你是策划出身的，再找一个销售出身的、一个广告创意出身的。"东方俊也觉得不该把公司做成夫妻店，"我到时来负责业务开发这一块，我想一开始只要不过多涉及专业层面，我还是能应付的。"

"至于公司的启动资金，我想向爸爸借一点。"白灵体贴地望着东方俊，"这样我们的起点可以高一点，我想借个两三百万就够了。"

在灵儿面前东方俊没有必要遮掩自己目前的财富，"资金倒不是问题，我这边还有 1 000 万左右的现金。"东方俊怕白灵产生不对路的想法，"这些钱都是我凭真本事赚回来的，没有坑过任何人，是干干净净的钱。"

听到东方俊有 1 000 万，白灵愣了，一时间不知道怎么接话。

"还有，我想公司的股份方面我们两个不一定要占太多，加起来占 51％就可以了。"东方俊又想了一下，"或者其他的股东要多一点，我们两个不控股也没问题的。要把公司做大，必须让每个人都有充分的动力和积极性。"

白灵对东方俊的说法表示认同："是的，我们的股份不一定要太多，只要公司能有个好的开始和发展就可以了。还有我父亲那边有两个朋友是房地产开发商，之前他说可以介绍业务给我做，我想这次我们自己开了公司，正好可以用到这方面的资源。"

第二天，东方俊到太华期货，把账户仅剩的一点点仓位全部平掉，并把大户室退还给太华期货。太华的崔总、小钟还有一些熟悉的"老战友"看着东方俊离开的背影，送别的眼神各有滋味，有祝福的，有惋惜的，有羡慕的，也有嘲笑的。

韩子飞手捧玫瑰来到瑞金医院。

"请问唐雨秋在哪一间病房？"

"请问您是？"护士小心翼翼地问他。

"我是她的家人，她的表哥。"韩子飞担心唐雨秋和护士打过招呼不让他进去。

"唐小姐在 305 室病房。"

医院的长廊里总会有很多悲欢离合发生，韩子飞行走在走廊中，百感交集。

到了 305 室门口，他停住了脚步。

纵然寻她千百度，也不会疲倦、迟疑，可现在她就在眼前，这一步却无比沉重起来。一幕幕快乐和忧伤的场景在他眼前闪过……

韩子飞推开门，向病床上的唐雨秋走去。这是一间单人病房，里面只有两个人，一位 50 多岁的妇女正在削苹果，另一位便是韩子飞最最割舍不下的人——唐雨秋。

雨秋躺在病床上，脸色苍白，目光有些呆滞，因为化疗，她原本美丽的秀发少了许多。

看到韩子飞手捧玫瑰进来，唐雨秋一下子就眼泪汪汪了，她是多么期待这位男子的出现，每天都在想他，可她又多么不情愿让韩子飞看到自己现在的样子。

"雨秋……"韩子飞强忍住心中的悲痛与激动，微笑着坐到病床边。

"我不想你来，可是我知道你一定会来。"唐雨秋眼泪如注。

韩子飞把玫瑰放在唐雨秋枕边，左手握起雨秋的手，右手为她擦眼泪："不要难过了，有我在，你会好起来的。"

"小姐，我先出去了。"陪护阿姨放下苹果，走了出去，给他们一个单独的空间。

"韩哥，我每天晚上都梦见你，我真的好希望你来看我，我又希望你永远找不到我……"雨秋既兴奋又欣慰又矛盾。

"别傻了，你怎么能够这样离开我呢。"韩子飞堆起笑容。

雨秋知道自己的美丽已逐渐消散，低下了头："可是，我现在这个样子……"

"傻姑娘，不管你变成什么样，你永远是我心中最美的雨秋。"

唐雨秋坐了起来，紧紧地抱着韩子飞，这一拥抱她不敢奢求，但已期待很久。

对韩子飞来说，现在最重要的事情就是每天收盘后去瑞金医院，守在唐雨秋的病床前，安慰她、开导她，督促她按时吃药，讲笑话逗她笑。这样的日子，不管是日复一日还是年复一年，韩子飞都心甘情愿地接受。

天气好的时候，韩子飞还会让唐雨秋坐到轮椅上，然后推着她出去晒晒太阳，呼吸新鲜空气，亲近树木与花草。

每当唐雨秋坐在轮椅上，她都好希望时间就此停止，永远停止。她希望能继续活着，希望几十年后，在她老得走不动的时候，还是由这个男人为她推轮椅、讲笑话。

医生对韩子飞说，唐雨秋的病情变化比他们想象中的要好很多，之前她心情一直比较低落，求生欲望不强，并一定程度上不配合治疗。而现在她的求生欲望很强烈，也很配合医院的治疗，如果继续这样保持下去，她可能还有半年，甚至一年的时间。

不管是半年还是一年，韩子飞决定以后的每一天、每一分、每一秒都要让唐雨秋开心地度过，没有半点委屈，没有半点恐惧，没有半点遗憾。

东方俊和白灵的房地产策划代理公司很快就注册好了，名字叫"聚房动力房产经纪有限公司"，股东和人员也配置齐全了，借助白灵父亲介绍的两个项目，公司已经像模像样地正式运作起来。

中午，东方俊一个人在自己的办公室里，这间办公室比他原来在太华期货的大户室要小多了，不过他并不在意。现在令他头痛的是，分管业务开拓的他，到目前为止没有为公司带来哪怕有一点意向可以谈一谈的新项目。

突然，手机响了。

张总？他怎么会打电话过来？

"张总，您好。"东方俊接起电话，他担心是不是上次的事情还没有了结。

"东方啊，最近好吗？"

"还可以，混混日子呗。"东方俊保持小心谨慎。

"今年的行情一直在涨，你期货赚大钱了吧！哈哈。"

"我已经不做期货了，现在做一个和期货不相关的行业，和朋友一起开了一家公司。多谢张总还记着我。"

"好了，客气的话不和你多说了。"张总有正事要和东方俊商量，"我今天找你是想请你帮个忙。"

"您请说？"东方俊纳闷着张总是不是出事了。

"我三四年前在上虞，就是绍兴的上虞买了两块地，之前因为我主要精力一直放在华茂五星，那两块地基本上算是荒在那里，没有像样地动工。现在华茂五星那边不用我管了，只要他们能做好，每年我按照股份拿点分红倒也省心。"

"是啊，和他们那帮人斗来斗去没什么意思。您刚刚说到的两块地是怎么回事？"东方俊一听到有"两块地"，顿时来了兴趣。

"现在我主要的时间就是专心做这两个房地产项目。我上次好像听你说过，你太太是做房地产策划的是吧？我这边正需要销售代理公司和广告策划公司给我那两个项目做前期定位和后期销售的事，你看看上海有没有好的公司，帮我推荐推荐。"

"我现在和朋友合伙开的公司就是做房地产包装策划和销售代理的，我爱人也参与其中。"东方俊好兴奋，生意自己送上门来了。

"是吗？"张总喜出望外的样子，"那我找你不就成了，你看什么时候有空到上虞来实地考察一下，其中一个是别墅项目，另一个是公寓项目，别墅项目的一期工程再过三四个月就可以预售了，公寓项目最多半年也能销售了。现在我急着要给这两个项目做前期的营销推广。"

"我本周都有空，回头我安排一下时间，再和您联系？"

"可以的，东方，就这么说定了，我就等你电话了。"

"好的，我们今天下午，或者明天上午就能定下时间。"东方俊心想还是早点过去，能够早点敲定则更好。

"对了，你来的时候叫你太太一起来吧，我请你们在上虞玩几天。"

哎，难得张总还想着我，真是没想到。东方俊心里暗暗佩服：张总绝对是个真男人，亏五六个亿居然一点也不记仇，而且在华茂五星跌倒后，这么短时间又马上干起更赚钱的房地产了，厉害！看来每一个成功的企业家都必然经得起千锤百炼。

两天后，东方俊、白灵、主管广告创意的股东萧程、司机老陆，还有一位做客服的年轻漂亮的女同事小何，五人一同前往上虞。本想开东方俊的奔驰过去，但在张总面前不敢招摇，又不好意思开白灵的飞度去过，那也显得太寒酸了，于是开着公司新买的别克商务车出发了。

从时间上来算，走杭州湾大桥并没有拉近上海到上虞的距离，还多交了过桥费，但从一路的风景来看，走杭州湾大桥比走沪杭高速要好多了。

一桥跨海，天堑变通途，大海波涛起伏，蓝天白云飘飘，一条钢铁巨龙穿破海天交界处，甚是壮观。

上虞是一个富裕的县级城市，人口不到百万，却是真正的藏富于民，张总选择在上虞买地开发房地产确实是有眼光的投资。都说上虞是"五山一水四分田"的格局，在江南这样富饶同时又有连绵青山的地区并不多见。

到了上虞，司机问了一次路后便到了人民中路的明生大厦。老陆把车停在大厦门口让四人下车后再去停车。东方俊、白灵、萧程、小何四人向大堂走去。

"东方俊！"张总已迎在大门口，看到东方俊便笑着走过去，"欢迎来到上虞。"

张总热情地和东方俊握手，左手还拍了拍东方俊的右手臂。白灵看到对方如此热情，心想这次来上虞应该会有收获了。

"这位是萧程，公司主管广告创意的，为楼盘做全程的包装；这位是小何，负责客户服务的，是以后的日常联络人；这位是白灵，我爱人，负责楼盘的整体营销策划。"

"弟妹人如其名，东方有眼光啊！"

张总带着四人来到大厦六楼的办公室，这里差不多有半层是张总的"明启房地产"的办公区。

会议室里，五六个人已经等在里面，投影仪也放好了，幕布上显示的是"明启山庄（暂命名）建筑规划、园林规划方案"。

椭圆形会议桌一边坐着明启的人，一边坐着东方俊他们四个——"聚房动力"的人，张总则坐在投影对面的主位上，他把会议室里明启的人逐个介绍，坐在他边上的是分管营销的副总贾总，然后依次是工程师吴工、营销部蔡经理、工程部李经理以及两个营销专员赵小姐、孙小姐。

会议由贾副总主持，先是由吴工介绍明启山庄，也就是明启别墅项目的地理位置、地块环境、项目规模、建筑风格和园林风情。

这个项目位于上虞城南片区，依山而建，是一个高端别墅项目，以独栋别墅、二联别墅、四联别墅为主，还有少量的六联别墅和叠加别墅。建筑和园林均是英国乡村别墅风格。英伦乡村别墅，以红砖、青瓦、斜坡屋顶、烟囱、老虎窗为基本特征，而英伦田园美景，则包含坡地布局、开阔湖面、蜿蜒小河、开阔草坪、绿色灌木、公共泊岸、私家庭院等。这个项目从地块环境和建筑品质来讲，无疑会成为上虞地区乃至绍兴地区首屈一指的高尚别墅社区，而目前最重要的则是如何用恰当的广告形象把项目包装出来，取一个高尚、有内涵并且经得起品味的名字，赋予它应有的气质和文化，并作相应的提升。另外，就是如何为这个项目找到合适的购买群体并且打动他们。白灵想到了上海万科在华漕镇金丰国际社区的红郡项目，或许"明启山庄"的很多表现形式可以参考这个项目。

之后是李经理介绍"明启公寓（暂命名）建筑规划、园林规划方案"。这个项目位于上虞的城北新区，那是上虞新的行政、居住、商业中心，前几年在市政府和几家大的开发商的推动下，该板块已经初步成熟，房价也在四五年内翻了两番。看来张总捂着这块地不开工是有道理的。

明启公寓项目是流行的地中海风情，由6层的多层洋房和12～16层的小高层、中高层组成，这是一个典型的快餐项目，用了目前各大城市最好卖的建筑风格和户型结构，小区的配套也主要以方便日常生活为主。这样的项目在市场好的时候，如果价格合理，往往会形成抢购。白灵看到这个项目，又联想到了浙江最大的开发商绿城地产在杭州临平的蓝庭项目。

最后是蔡经理介绍"上虞市经济发展和房地产市场报告"。上虞的机电、化工、轻纺、建材、食品、伞件、铜管、电光源、汽配等产业具有较强的特色和实力，民间资本比较充足，这几年房地产市场发展很快，而且还有一定的潜力。

没想到张总的团队专业水平都还不错，对两个项目初步的定位也很准确，更没想到他们为这次见面准备了这么充分的文件和介绍。东方俊不免暗暗佩服张总办企业的能力和做事情的态度。

接下来东方俊详细介绍了"聚房动力"的精英人员，以及这些人员以前服务过的项目、以前做过的作品和帮助开发商销售的业绩，另外又简单介绍了一下目前公司正在运作的两个项目。相比而言，东方俊这边的准备反而显得略有不足。

长达两个小时的会开完后，张总带着大家去考察工地，从上虞市中心到两个项目的道路交通都挺方便。由于目前两个地块都在加紧施工当中，无法领略刚刚看效果图的感受。不过别墅项目的地块环境确实很棒，有山有水，一栋栋别墅依山而建。多么纯粹的坡地别墅，这在上海是不可能有的，白灵简直爱上了这里。张总适时地表示，如果他们要买，就给最低的内部价。

看完工地，天色已晚。张总已让秘书在上虞最好的酒店——上虞国际大酒店订好了包厢。

晚宴上，张总让东方俊坐在他边上，今天他显得特别豪爽和兴奋，让人感觉不是谈生意，而是老友重逢。

第二天，张总专门安排营销部的赵小姐带东方俊一行在上虞游玩，一整天时间他们游玩了曹娥景区、"英台故里"祝家庄、凤鸣山风景区还有白马湖春晖名人园。其实上虞还有很多秀丽的自然风光可以亲近，还有很多人文景点可以感怀。只是"聚房动力"刚成立不久，人员还不够充裕，四个人已在外两天，白灵担心有些工作已经被压后了，为了把公司正在运作的两个项目也服务好，不管有多么不舍也不能继续待在上虞了。

2009 年 10 月，在宽松的信贷政策和巨大的财政投入之下，中国经济的复苏领先全球，并超过国内大多数人的预期，股市经历了一年时间的强劲反弹，已从 1 600 多点涨到 3 000 多点，8 月份的最高点甚至到过 3 400 多点，韩子飞持有的海王生物、中恒集团更是远远跑赢大盘。经济的好转、资金的充裕也推动着各大商品的上涨，期货的大部分品种在经历了 10 个月的阶梯型反弹后，依然处在上升阶段。

原以为明启的两个项目还要通过策划方案和销售方案的竞标，东方俊他们回到上海就忙开了。没想到两天后张总给他打电话说已经定下来两个项目都交给他们做，而且可以马上签合同。

公司一下子多了两个项目，东方俊的价值终于得到充分体现，真要感谢张总如此重情义。只是公司必须尽快招兵买马了。

上虞两个项目的体量都还比较大，特别是别墅项目，建成后预计是当地最大的高端项目了。白灵根据目前上虞的房地产销售价格预测，算出两个项目总销售额大约有 20 亿，按照销售代理 1％的佣金计算，这可是 2 000 万元的大生意。

东方俊的进入角色，让公司业务有了不错的发展，加上白灵和几位股东的互相支持，"聚房动力"这家新生的公司很快就步入了正轨并且迅速发展壮大。而中层员工的期权激励机制和基层员工的奖金分红机制也让公司的每一个人都充满斗志。

期货，这个曾让东方俊为之疯狂的事物，几乎彻底淡出了他的生活。只有在白天偶尔空闲的时候或是夜深人静的时候，他才有可能想起期货，他或许会打开行情看一下，但仅仅是看一下而已，随后一定是马上就关掉，因为他对交易已经没有了任何形式的冲动。

但是手头还有六七百万元空闲资金，在物价和房价都在上涨的年代，存银行就是等着贬值。要么找韩子飞打理一些？东方俊想到韩子飞还在做股票和期货投资，而且似乎做得不错。不过，真的很久没有找他了。

2009 年 10 月，上海的暑气未消，但早上已经比较凉快。韩子飞刚到公司坐定，手机便响了。

"东方，你好！"接到东方俊的电话，韩子飞稍微有些诧异。

"老韩，今天下午收盘后你有空吗？我们一起喝茶聊聊。"

"有什么事吗？下午不行，下午我有事情。"对韩子飞来说，每天下午收盘后去瑞金医院，这是雷打不动的。

"老同学相聚一定要有事吗？"东方俊反问一句，"是这样的，我想让你帮个忙，你看看什么时候有空我去找你一下。"

"那要不今天中午吧，你 12 点之后到我这边来。"

"呃，可以啊。你还在原来的地方办公吗？"

"不在那间办公室了，不过还在绿地商务大厦，现在是 1601 室。"

又到了曾经短暂工作过的大厦，东方俊颇有感慨，想想两年前的事，他觉得自己太可笑，也觉得有点对不起韩子飞。1601 室虽然不大，但作为一个论坛和一个交易者来说，这已经足够了。

"请问你找谁？"代替唐雨秋工作的孙苗苗站起来问已经进门的东方俊。

"我找你们韩总，我和他约好的，我叫东方俊。"东方俊突然意识到自己现在是客人了。

"你最近好吗？交易如何？"东方俊开口就问交易，他认为用这个话题和韩子飞开场会比较合适。不料，却越发显得陌生。

"还行吧，今年的行情比较好，股市反弹，期货也反弹。"韩子飞淡淡地说。

"收益率如何？"东方俊又激发出一点点隐在心底的对期货的兴趣，另一方面他也想了解一下韩子飞的操作成绩。

"市场比较好，所以赚得也还不错，目前股票翻了 3 倍多，期货翻了 1 倍左右。"

"做得不错啊！"

"运气吧。"韩子飞还不知道东方俊此次过来找他的目的，"东方，你今天过来找我主要有什么事？"

东方俊看了看手表，已经 12 点半了，股市下午 1 点就要开盘："老韩，是这样的，我现在已经没在做交易了。我和白灵，还有几个朋友一起开了一家房地产策划和销售代理公司，目前生意还不错，虽然忙一点，但不用再像做期货那样受……那样情绪波动大。"

东方俊本想说"受煎熬"，但一想韩子飞还在做交易呢，于是换了一个词。

"那也不错，现在房地产比较热，或许比做金融更有前景。"韩子飞听到东方俊专做房地产并且做得还不错，很是为他欣慰。

"不过呢，不瞒你说，之前我在绍兴的一个大客户那里待了一段时间，赚了一点钱。"东方俊当然不会说出那个客户做期货最终的结局，"现在我自己已经没在做期货了，但手里还有几百万的闲钱，总不能看着它贬值，所以就想找你帮帮忙，委托你来操作一部分资金。"

"我近期做交易的状态不是太好，倒不是说没法获利，而是没有太多的心思去研究行情，因为我这段时间有些私人的事情要处理。"韩子飞连忙推脱，"目前我自己的资金和朋友理财的资金有两三千万，部分朋友的资金我还想退回去。等明年再说。"

"你现在是不是小资金就不接了？我这边可不算小资金，可以拿出三五百万给你。"东方俊觉得很奇怪，韩子飞只有两三千万的理财规模就开始推掉朋友的资金。

"这倒不是，真的是有个人的事情要急着处理。这样好了，我推荐两个操盘手给你，一个是股票和期货都做得很好的邵高林，另一个是专门做套利的史良辰。"

"免了，我自己也做过代客理财的事情，我知道帮别人代操是怎么回事，在没有熟悉操盘手之前我是不会委托给他们的。这行业，技术、心态、人品都很重要。"东方俊马上拒绝，他对此是深有体会的，怎敢轻易把数百万交给不信任的人。

"那我也没法办了。"韩子飞顿了顿，"或者我推荐你两只股票好了，海王生物、中恒集团，我自己就持有这两只股票，你可以买进去放一段时间，等我出来的时候通知你就行了，如果你比较谨慎的话，就只买中恒集团好了，这只股票的潜力更大一些，因为它可炒作的题材比较多。"韩子飞觉得能做到如此已经是极致了。

"好的，我会去看看，要是合适的话我买一点进去。当然了，如果赚钱了，不会忘记兄弟你的。"

说到这里，两人都觉得有一些尴尬，东方俊于是随便找了个借口起身准备走。

"对了，怎么没看到唐雨秋？"东方俊突然发现这里少了一个人。

"她……"韩子飞一时语塞，脸色也变了。

"你说的私人的事情是不是和唐雨秋有关？"东方俊有点疑惑，"我看她之前好像对你有点意思，你们后来好上没？"

"不说这些了，快开盘了，我就不送了。"韩子飞强忍着不要失态，下了逐客令，但又不好太伤老朋友的面子，"今天时间比较赶，下次我去你们公司，看看你和白灵，到时再详谈吧。"

看着东方俊离去的背影，韩子飞陷入了沉思：股票也好、期货也罢，资本市场的财富看似没有任何武装，就像裸奔的金钱，那么晃眼，那么魅惑。大部分涌进市场的人，总是卸下所有防备，迷恋它，追逐它，拿着一把钝刀，欣喜若狂地想要收割那满地的金钱。但实际上，那里的钱往往带着最致命的武器，它用迷人的外表包藏着吃人的心肠，多少人被它迷惑，心甘情愿地亲近它，想要占有它，多少人为此倒下了，又有多少人涌进来……即使，有些所谓的高手感悟了，幸存了，他们在获得金钱的同时，恐怕也已经伤痕累累……

或许，东方俊的选择是对的。

开车回公司的时候，东方俊总觉得今天的韩子飞有点不太对劲。对自己冷淡可以理解，但他说的重要的私事是借口呢，还是真的有什么事呢？

下午东方俊给唐雨秋打去电话，结果是关机，心想可能真的是他俩之间的感情纠葛。韩子飞也真是的，都三十几岁的人了，还被感情困扰。

不过回想起来，前不久的自己不也是如此吗？

晚上，东方俊到书房打开电脑，看到中恒集团确实涨得不错，从技术上看应该还能买入。他本想第二天就买一部分，转而想：我不是答应过灵儿不再做交易了吗？虽说股票和期货有所不同，但对参与交易的人来说，很多负面影响是一样的。再说我肯定不能背着她又干起金融投资，刚好韩子飞的态度帮自己做了抉择，还是不做了吧。

第二天，东方俊和白灵商量了一下，最后决定把钱分为三部分：第一部分用于到嘉兴买几个商铺，靠出租和增值获得收益；第二部分用于买一些固定收益的债券或信托产品；第三部分则是留一些现金，等以后有好项目的时候再动用，比如张总在上虞的别墅或许真的可以考虑买一套。

投资观小结

东方俊：

期货的魅力或许真的难以抗拒，它可以让人沉迷、满足、获得成就感，也能给人恐惧、痛苦、无尽的煎熬。

期货就像鸦片，曾经大量吸食，看透了，也就戒掉了。

操盘手的技术、心态、人品都很重要。

韩子飞：

资本市场的财富看似没有任何武装，就像裸奔的金钱。实际上，资本市场里的钱往往带着最致命的武器，用迷人的外表包藏着吃人的心肠。

太华期货的一些人：

看到别人离开期货市场，有人祝福，有人惋惜，有人羡慕，也有人嘲笑。

第十五章　重　生

我便是你。你便是我。火便是凰。凤便是火。

——郭沫若《凤凰涅槃》

随着时间的推移，唐雨秋的病情越来越严重。虽然在韩子飞面前她依然保持着乐观，每天都微笑着度过，但韩子飞怎会感觉不到她身体的变化呢？好几次，韩子飞扶雨秋上轮椅的时候，都明显感觉到她的消瘦、疲惫和痛苦。

韩子飞的心，很痛。

中午，韩子飞的手机响起，上面显示的是一个陌生的手机号码。

"喂，你好。"

"小韩，我是蔡阿姨。"

竟是唐雨秋母亲的电话："您好，蔡阿姨。"韩子飞快速思考着蔡阿姨找他可能会和雨秋的事有关，但是是什么事情呢？

"我现在在上海，想见见你。"蔡阿姨停顿了一下，"关于雨秋的病，有了新的进展，我想和你当面谈谈。"

"新的进展？那就意味着有转机了！"韩子飞兴奋起来。

"可以这么说。"

"好的，您在哪里？我马上去见您。"韩子飞迫不及待地想知道细节。

"在瑞金医院附近瑞金二路上的 Art Deco 咖啡厅，靠近兴中路，在瑞金宾馆 3 号楼。"

韩子飞向曾三虎交代了所有账户的情况以及可能出现的操作后，就马上开车过去，韩子飞想着雨秋可能有救了，异常开心。

走进略带复古风格的 Art Deco 咖啡厅，韩子飞一眼就看到了坐在角落里的蔡阿姨。

"蔡阿姨。"韩子飞快步走过去。

"请坐吧，小韩。"正在思考问题的蔡阿姨被韩子飞打断了思路。

"您刚才说雨秋的病有转机了，是不是医生找到治愈的办法了？"

"雨秋的病本来是没有希望了。"虽然看着韩子飞急切的样子，蔡阿姨还是不紧不慢，"她从小就是个很懂事、很特别的孩子，和兄弟姐妹、和周边孩子相比，她更活泼、更聪明。她的读书成绩很好，又有音乐、舞蹈天赋……"

韩子飞听着觉得太绕了，但又不好意思打断蔡阿姨。

"她现在的病情你是知道的，目前只有一种办法能够让她活下来，那就是干细胞移植，要找到配对的人。"蔡阿姨终于开始说到正题。

"现在是不是找到了？"韩子飞异常兴奋。

"是的。"蔡阿姨没有韩子飞那般兴奋，还是淡淡地，甚至有点无奈地说，"我们一直在帮雨秋找干细胞配对的人，我们家里的人，带点关系的亲属都测过了，全部不配对。也到中华骨髓库一一对照，也没有配对的。"

蔡阿姨突然落下眼泪，但她马上恢复了正常："上个星期，瑞金医院的医生突然打电话告诉我，与雨秋干细胞配对的人找到了。听到这个消息，我们全家人都开心极了，想着我们的雨秋终于有救了。"

韩子飞认真地听着，服务员端来奶茶，他放在一边，依然看着蔡阿姨。

蔡阿姨喝了一口咖啡："那个干细胞配对成功的人叫侯堂，是上海人，医生打我电话后我当天就从义乌赶到上海，第一时间约侯堂见面。我找侯堂聊了之后，发现他是一个贪小便宜的人，于是我提出给他100万，他当时欣然答应了，并提出第二天去看看雨秋。"

"侯堂第二天去了医院，看到了雨秋，了解到我们家里有个企业，又提出100万不要了。"

"那他要什么？"韩子飞急了。

"他要和雨秋结婚，不然就不捐了。"

韩子飞感觉自己突然从天堂掉进了地狱，有无数的小鬼在用各种方法折磨他的肉体和灵魂。

"雨秋知道了侯堂的要求，死活不同意，而且也不让我们告诉你这件事。"蔡阿姨又落下眼泪，"我知道，我来找你可能不合适，但我也没有办法。我知道你和雨秋是真心相爱的，我也知道雨秋离不开你，但你让我怎么办呢？我不能眼睁睁地看着唯一的希望就这样破灭，我不能眼睁睁地看着我的女儿就这样离去。雨秋还那么年轻，如果能够交换，我宁可为她去死。"

韩子飞靠在椅子上，整个人瘫了下去，看着桌子发呆了很久。

"蔡阿姨，您把侯堂的电话告诉我，我去找他谈谈。"韩子飞回过神来，坚定地看着蔡阿姨，"如果我说服不了侯堂，我就去说服雨秋。"

2010 年 1 月 8 日，证监会相关部门负责人表示，国务院已原则上同意推出股指期货。证监会将统筹股指期货上市前的各项工作，这一过程预计需要三个月时间。

股指期货真的要推出了，这个消息没有给韩子飞带来任何的激动。

2009 年股市走了一年的反弹行情，虽然韩子飞没有花太多时间关注，却得到了三四倍的收益；期货也是大反弹，只是期货的波动幅度更大一些，韩子飞的波段趋势交易在某些时刻会有所回撤，不过一年下来收益情况也不错，大部分账户翻了 1.5 倍左右，只是期货套利交易由于后来没有再花时间去完善和优化，半年下来只赚了 15% 左右。

股票和期货的投资已算是颇有收获的一年了。

难道这是老天的补偿吗？如果是，我宁可不要。韩子飞心想。

1 月 8 号，韩子飞把股票账户清仓，把期货的账户也全部清仓，让曾三虎的工作转为协助孙苗苗和刘佳妮。

1月8号，刘佳妮请假去参加上海世博会志愿者的培训。现在距离世博会开幕只有不到4个月时间了，机灵活泼的小姑娘刘佳妮需要接受各种高强度的训练，以便届时接待"各国友人"和防范各种突发事件。刘佳妮还送给每个同事一张世博会门票和一个海宝，确实，就在家门口的世博会没有理由不去看看。而韩子飞多么期望雨秋的病好起来，他要和雨秋一起去看世博会……

1月8号，韩子飞约侯堂见面。

不知道是缘分还是巧合，侯堂就住在新华路后面的法华镇路，于是两人约在唯尚咖啡见面。

韩子飞走在光秃秃的梧桐树下，感觉特别冷。

也许是条件反射，韩子飞走进唯尚就向那张熟悉的靠窗的桌子走去。坐下后，他望着窗外不变的建筑和流动的人群，陷入了沉思。

又是在唯尚咖啡，又是在这张靠窗的座位上，两年前韩子飞结识了唐雨秋，两年后却是和一个能够决定唐雨秋生死的人见面。这是一个怎样的轮回？

"你是韩先生吧，我是侯堂。"

韩子飞转过头，一位穿着黑色皮风衣，围着格子围巾，高大而白净的男人站在他面前。

一位长相如此俊朗的男人，内心的想法竟会那样不堪？

"侯堂你好，请坐。"韩子飞尽量压制内心的愤怒与厌恶。

"韩先生来了一会儿了吧，让你久等了，不好意思。"侯堂说话居然特别客气和礼貌。

"还好，我也是刚到。"韩子飞在想，这侯堂会不会没想象中的那么不堪，"我就住在新华路，其实我们住得还挺近的。"韩子飞也客气了一下。

"我们谈一下唐小姐的事吧。"

没想到侯堂转得这么快，韩子飞突然感觉到很不舒服。

"韩先生是唐小姐的男友对吧。"

"是的，我和雨秋是恋人，我们的感情很深。"韩子飞不想与侯堂多说什么，"我想你能不能放弃和雨秋结婚的想法，看看能不能用另外的形式补偿你捐献干细胞。"

"其他的形式我暂时没有考虑。"侯堂态度大变，"你要知道，现在世界上只有我能够救唐雨秋，或许我和她才是天生一对。韩先生，我看你还是退出吧，这样对你、对唐雨秋都是好事。"

韩子飞真想痛打坐在对面的这个龌龊男人。

"侯先生，你看我给你200万，换你捐干细胞怎么样?"韩子飞再次压制心中的怒气，尽量有礼貌地说话。

"200万? 哈哈!"侯堂大声笑着，"你知不知道唐雨秋的家产有多少?"

"那给你500万。"韩子飞看到侯堂不屑的眼神，心里很不是滋味，"最多给你800万。"他计算着所有账户的分红拿到之后，自己能凑到多少钱。

"哼，800万!"侯堂直视韩子飞，"1个亿都不行，100亿都不行，我就是看上唐雨秋了!"

韩子飞忍无可忍，挥起拳头……打在桌子上。他还不能打这个龌龊的男人，毕竟目前只有他能够救雨秋。

　　"蔡阿姨，我和侯堂见过面了。"韩子飞打电话给蔡阿姨。

　　"怎么样，他怎么说？"蔡阿姨走出病房，急切地问。

　　"我没办法说服他。"韩子飞无奈地说，"但阿姨您放心，我会尽量让雨秋接受侯堂的捐献。"

　　蔡阿姨挂断电话，对这位年轻人肃然起敬，雨秋爱上这样的男人是值得的，但造物弄人啊！

　　韩子飞赶到医院，在走廊的椅子上坐了半个小时，尽量让自己平静下来，现在说服雨秋接受侯堂的捐献是最重要的。至于其他的事情，只能以后再做打算了。

　　韩子飞站起来，闭上眼睛，深呼吸，然后坚定地朝 305 室走去，去做一件极不情愿却又必须真心诚意去做的事情。

　　推开门，蔡阿姨、陪护阿姨都在。

　　蔡阿姨用渴望的眼神看着韩子飞，韩子飞向她点一点头。于是蔡阿姨叫阿姨一起出去，但没有走开，她们站在门口，准备听韩子飞能否说服雨秋。

　　"韩哥，"唐雨秋憔悴但甜蜜地笑着，"外面天气好吗？"

　　"挺好的。"韩子飞在床边的椅子上坐下，握住雨秋的手。

　　"那你扶我到轮椅上，我想出去走走。"今天韩子飞来得稍晚一些，唐雨秋原以为是下雨耽误了，既然天气不错，那她还想和往常一样让韩哥推她到医院的小园林中走走。

　　"今天气温比较低，明天再出去吧。我今天有事和你商量。"

"好吧!"唐雨秋有些失望,进而又期待地看着韩子飞,"要商量什么事?"

"雨秋,你接受侯堂的干细胞移植吧。"韩子飞终于把这句话说出口,他轻轻地咬了咬牙。

唐雨秋愣住了,母亲还是把侯堂的事通知了韩哥。

"不行。我不能没有你。"唐雨秋扑进韩子飞的怀中,泪如雨下,"如果我不能和你在一起,我宁可离开这个世界。"

韩子飞强忍的眼泪终于落下。他轻轻推开雨秋:"谢谢你,雨秋。我知道你心里只有我,但你一定要答应我,接受侯堂的条件,接受他的干细胞移植,现在只有他能救你。你一定要活下来,只有活下来了一切才有希望。你就当是为了我而活着。"

"韩哥,你不要再说了,也不要再劝我,如果你坚持让我和侯堂结婚,我就马上自杀。"唐雨秋悲恸却又坚定。

蔡阿姨终于忍不住冲了进来,坐到病床的另一侧,含着眼泪:"好了,好了,不和侯堂结婚,一切都听你的,我的宝贝女儿。"

侯堂的出现,让蔡阿姨看到希望,让韩子飞感到愤怒,而对唐雨秋来说,则是一种负担。这个插曲或者说闹剧的结果是多方受损:蔡阿姨彻底绝望,韩子飞自责压抑,侯堂一无所获,唐雨秋的病情则是加速恶化。

雨秋已经虚弱得无法自己站起来,但她还是坚持每天让韩子飞把她抱到轮椅上,然后推着她出去走走。即便天气不好,她也让韩子飞推她到走廊里。或许,对雨秋来说,韩子飞每天推着她便是她活下去的勇气。

她还是每天微笑着，尽量保持乐观，遮掩病痛，不让韩子飞和妈妈过度担心。

"蔡阿姨，我今天要向雨秋求婚。"

上午韩子飞和往常一样，早早地到了病房，不过这次他捧着99朵玫瑰。

唐雨秋看到一大束玫瑰，含情笑了。

韩子飞走到病床前，单膝跪地，鲜花举在胸前。99朵玫瑰里，还夹着一张卡片。雨秋拿起卡片，里面有一首诗：

秋雨恋我　我恋雨秋

秋雨绵绵，
她落在我心间。

秋雨涟涟，
她波动我心田。

秋雨甘甜，
她滋润我心殿。

秋雨翩翩，
她爱意落我肩。

秋雨一点，
她亲吻我的脸。

秋雨一片，
她宠爱我万千。

秋雨依恋，
我把她手儿牵。

秋雨缠绵，
恨不能早相见。

秋雨之恋，
是我每一天。

秋雨恋我　我恋雨秋。

"雨秋，我们一起度过了 27 个月的共同时光。因为有你在我身边，这 820 多天对我来说每天都是那么珍贵。感谢你出现在我的生命里，在我最需要关怀的时候，在我最需要鼓励的时候，在我最需要帮助和分享的时候，在我最开心和最悲伤的时候，你一直在我身边，你是上天赐给我的。"

韩子飞把花送到雨秋怀里："我爱你，雨秋。人世间，你比任何人都更值得我珍惜。我们应该永远牵连在一起，永远相知相爱。"

"所以，嫁给我，好吗？"韩子飞从口袋里拿出淡紫色的戒指盒，把它打开，一枚钻戒闪着光。

唐雨秋幸福着，感动着，笑着，流泪着。她完全没有想到韩子飞会向她求婚，对她来说能在韩哥的陪伴下走完人生的最后一段路便已是最大的快乐和安慰："我愿意，我愿意……我愿意……"

这时病房的门被打开，优美的小提琴声传入病房，两个拉小提琴的老外走进来，浪漫、动情的琴声弥漫了整个房间。

韩子飞拿出戒指，认真而又小心地戴在雨秋右手的无名指上。两人十指相扣，浓情对望。

"东方，我要结婚了！"

"才五六个月不见，你就……新娘是？"东方俊既意外又感到兴奋。

"雨秋。"

"我猜就是她！"东方俊想起去年10月的那次见面，"上次你那么紧张她，哈哈！有情人终成眷属啊！"

"你和白灵后天下午有空吗？我请你们参加婚礼。"

"当然有空，兄弟的婚礼一定要参加。具体在哪里？几点？"

"下午3点，在瑞金医院。"

"什么，在瑞金医院？"东方俊很是困惑，继而又有点不安，"你们，怎么……"

"雨秋她已经是白血病晚期了。"韩子飞沉痛地说，"你们不用带任何礼物或礼金，只要每人拿一朵玫瑰过来就可以了。"

"老韩，你要想清楚，不要一时冲动。"虽然东方俊希望他俩结婚，但是如果韩子飞新婚就丧偶，岂不……

"我们都很清醒，雨秋是我的真爱。"韩子飞无比坚定，转而又显得很难过，"她时间不多了。"

"我和白灵一定提前到。"东方俊回想着聪明、活泼的唐雨秋，那个他曾经熟悉的女孩，不免伤感，"我今天去医院看看她吧。"

"不用了。"韩子飞赶紧说，"你来了，恐怕她……"

"好的，那我们后天到。"

路的一头，是韩子飞穿着新郎礼服，唐雨秋穿着婚纱坐在轮椅上；另一头是一片大草坪，草坪上站着一位手拿《圣经》的牧师，他的后面是一支乐队；路的两边站满了亲朋好友，唐雨秋的父母、东方俊、白灵、刘佳妮、孙苗苗、曾三虎、何冰、孟泽、邵高林、洪哥、柳大伯、史良辰、马斌、易天、雷恒……他们每个人的手里都拿着一枝玫瑰，微笑着注视这对新人。

路上铺满了花瓣。当《婚礼进行曲》响起，韩子飞推动轮椅，缓缓地向牧师走去，车轮滚过花瓣，留下两条淡淡的痕迹，这淡淡的痕迹恰似人间的生命，美丽而脆弱。

洁白的婚纱，淡淡的妆容，雨秋经过的时候每个人都把手中的玫瑰送到她手中，这是亲友们从各地带给她和韩子飞的祝福。雨秋灿烂地笑着，今天她是世界上最美丽的新娘。

舞者飘去，音乐停止。韩子飞和唐雨秋来到牧师面前，深情地看着对方。

亲友们围了上来。

"各位亲朋好友，在这个温暖和煦的日子里，我们聚集在一起，见证两个独立的生命在此融合，缔造一个新的家庭。我们来到这里，共同庆祝韩子飞和唐雨秋在婚姻中结合，由此结束他们生命中独自旅行的岁月，开始手牵手、肩并肩、共同前行的人生旅程。"牧师一字一句，坚定有力。

"爱情是人类最崇高的体验，最伟大的情操。它最大限度地消除了我们的自私，提升了我们的品格，并且使我们的生命更有意义。婚姻是爱情的结晶，它象征了男人和女人之间终极的亲密、信任和互助；而且，这种亲密、信任和互助不但没有减弱各自的力量，反而增强了夫妇各自的独立人格。"

"韩子飞，你愿意娶唐雨秋为妻么？无论疾病还是健康，都忠贞于她，爱护她，珍惜她，安慰她，照顾她，至死不渝。"

韩子飞蹲下去，牵起她的手，深情地看着她："我愿意。"

"唐雨秋，你愿意嫁给韩子飞为妻么？无论疾病还是健康，都忠贞于他，爱护他，珍惜他，安慰他，照顾他，至死不渝。"

唐雨秋含着眼泪，微笑着："我愿意。"

"韩子飞和唐雨秋，请握住对方的手，为夫妻的爱情和奉献许下誓言。"

"韩子飞，请跟着我重复：我，韩子飞，和唐雨秋结为夫妇，从今往后，相互拥有、相互扶持，无论是好是坏、富裕或贫穷、疾病或健康都彼此相爱、珍惜，直到死亡才能将我们分开。"

"唐雨秋，请跟着我重复：我，唐雨秋，和韩子飞结为夫妇，从今往后，相互拥有、相互扶持，无论是好是坏、富裕或贫穷、疾病或健康都彼此相爱、珍惜，直到死亡才能将我们分开。"

"请准备好戒指。"

舞者托着托盘上来，托盘上是一束百合，百合的枝丫上挂着两枚婚戒。

"韩子飞和唐雨秋交换的誓言，我们已经亲耳听见。但是，言语不能停留，声音转瞬即逝。而婚戒则是诺言持久永恒的象征。戒指没有开端，没有结束，没有薄弱的地方，正如一个圆环，它将代表和纪念着韩子飞和唐雨秋之间诺言的质量和力量。"

"韩子飞，当你把戒指戴在唐雨秋手指上的同时，请跟着我重复：你是我的生活，我的最爱，我最好的朋友。由着这枚戒指，我娶你为妻。愿这枚戒指，纪念着我的爱情，以及我今日许下的承诺。"

韩子飞取下一枚戒指，捧起雨秋的手，给她戴上，雨秋幸福地笑着。

"唐雨秋，当你把戒指戴在韩子飞手指上的同时，请跟着我重复：你是我的生活，我的最爱，我最好的朋友。由着这枚戒指，我嫁你为妻。愿这枚戒指，纪念着我的爱情，以及我今日许下的承诺。"

舞者蹲下来，把托盘送到雨秋面前。唐雨秋取下一枚戒指，给她最挚爱、最感恩也最留恋的韩哥戴上。

所有人都为他们欣慰，为他们鼓掌。

"由着韩子飞与唐雨秋交换的誓言，由着他们在亲朋好友的见证之下交换的戒指，由着主赋予我的权力，并且，更是由于你们自己的爱情，我现在宣布，你们结为夫妇。"

"韩子飞，你可以亲吻你的新娘了。"

韩子飞捧起雨秋纤瘦却无比动情的脸，深深地吻下去。这一吻，浓情绵绵；这一吻，甜蜜悱恻；这一吻，姗姗来迟却终于来了。

音乐又起，大家欢呼起来！

钟爱的男人扶持着她，无数的鲜花簇拥着她，不尽的笑容环绕着她，唐雨秋确定这是她一生中最幸福、最浪漫的时刻，她有些过于激动，眼前一黑，晕了过去。

雨秋的生命，就像风中的残烛，随时都可能燃尽。韩子飞无法让残烛变得更长一些，只能尽力阻挡外面的风，让她免于意外，但残烛的光芒还是在持续变暗。

韩子飞已没有任何办法延长雨秋的生命，他能做的只是在她醒着的时候陪在她身边，让她时时刻刻感受到爱情的温暖。

失眠，憔悴，焦虑，烦躁。这是韩子飞过得最漫长的一个月、最痛苦的一个月，也是他最珍惜的一个月，雨秋真的要走了吗？

凌晨5点多，韩子飞终于迷迷糊糊地睡着了。

今天的雪儿褪去了古老的衣裳，穿着白色的连衣裙，在弯弯月亮下，在满天繁星下，在一树灯笼下，在流淌着满河星光的河边，翩翩起舞。韩子飞在河的另一面，只能欣赏却不能亲近。

雪儿站在满是灯笼的树下，风吹起她的长发和裙裾，河水倒映着她的玲珑身段，微波粼粼。

恍惚间，雪儿的容颜生变……雨秋。

雨秋走近河岸，弯下腰从河水中捞起两颗一模一样的星星，冲着对岸的他微笑："韩哥，我为你而生，你为我而生，我们是上天配对的。"

雨秋慢慢飘起，飞入云端。

"雨秋！雨秋！"

韩子飞惊醒过来。

"我为你而生，你为我而生，我们是上天配对的。"

配对？对啊！我真傻，我怎么就没想到去试一下配对？

韩子飞急忙起来，开车到瑞金医院，找医生抽血检查。血液送入化验室，医生让他回家等消息。

手机铃声响起，焦急等待中的韩子飞迅速按下接听键。

"韩先生，您的干细胞和唐雨秋小姐的是吻合的。"电话那头传来医生的声音，"您这几天要多增加一些营养，好好休息，我们尽快安排您和唐雨秋小姐的干细胞移植手术。"

"那我马上去告诉雨秋。"

当两人紧紧相拥，喜极而泣时，所有的疲倦都已散去，所有的幸福即将展开，这一天是新的开始，这一天是重生之日。

重　逢

灯笼雨，

光影横斜，

封尘岁月。

你是我千古的爱恋。

风起，云重，

闭月遮天。

千百年前，在千古的河上，

明灯逝远，黯淡。

灯笼雨，

光影朦胧，

重启岁月，

我是你千古的爱恋。

柳动，花明，

月起枝丫。

千百年后，在千古的河上，

明灯又起，秋雨下。

这一天，是 2010 年 4 月 16 日。

这一天，是中国金融期货交易所沪深 300 股指期货上市的日子。

这一天，是方梦龙打来越洋电话的日子。

这一天，是所有痛苦的结局。

这一天，是一切美好的开始。

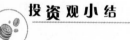 **投资观小结**

韩子飞：

为了心爱的人，所有赚到的钱都可以放弃。

后　记

有一种自由叫未来

There is a freedom in the future

图书在版编目(CIP)数据

裸奔的钱/沈良著.—杭州：浙江大学出版社，2010.11
ISBN 978-7-308-08040-8

Ⅰ.①裸… Ⅱ.①沈… Ⅲ.①长篇小说－中国－当代
Ⅳ.①I247.5

中国版本图书馆 CIP 数据核字（2010）第 199483 号

裸奔的钱

沈　良著

责任编辑	徐　婵	
出版发行	浙江大学出版社	
	（杭州市天目山路 148 号　邮政编码 310007）	
	（网址：http://www.zjupress.com）	
排　　版	杭州大漠照排印刷有限公司	
印　　刷	杭州杭新印务有限公司	
开　　本	880mm×1230mm　1/32	
印　　张	9.625	
字　　数	208 千	
版 印 次	2010 年 11 月第 1 版　2010 年 11 月第 1 次印刷	
书　　号	ISBN 978-7-308-08040-8	
定　　价	28.00 元	